Corações Feridos

Maria dos Anjos

23/02/2015

Corações Feridos

Duas irmãs gêmeas. Uma linda, a outra desfigurada.
Dividas por um terrível segredo...

Louisa Reid

Tradução
Thiago Mlaker

Novo Conceito

Publicado originalmente na Grã-Bretanha em inglês pela Penguin Books Ltd.

Esta é uma obra de ficção. Nomes, personagens, lugares e acontecimentos descritos são produto da imaginação do autor. Qualquer semelhança com nomes, datas e acontecimentos reais é mera coincidência.

1ª Impressão – 2013

Produção Editorial:
Equipe Novo Conceito
Impressão e Acabamento RR Donnelley 210813

Este livro segue as regras da Nova Ortografia da Língua Portuguesa.

Dados Internacionais de Catalogação na Publicação (CIP)
(Câmara Brasileira do Livro, SP, Brasil)

Reid, Louisa
Corações Feridos / Louisa Reid ; tradução Thiago Mlaker. -- Ribeirão Preto, SP : Novo Conceito Editora, 2013.

Título original: Black heart blue
ISBN 978-85-8163-044-1

1. Ficção inglesa I. Título.

13-04503 CDD-823

Índices para catálogo sistemático:
1. Ficção : Literatura inglesa 823

Novo Conceito
Rua Dr. Hugo Fortes, 1.885 — Parque Industrial Lagoinha
14095-260 – Ribeirão Preto – SP
www.editoranovoconceito.com.br

Para todos aqueles que já se sentiram diferentes.
E para Alistair, Eve e Scarlett — é claro.

You do not do, you do not do
Any more, black shoe
In which I have lived like a foot
For thirty years, poor and white
Barely daring to breathe or Achoo.[1]

"Daddy", Sylvia Plath

[1] "Você não é, você não é/Não mais, um sapato preto/No qual eu vivi como um pé/Durante trinta anos, pobre e branca/Mal conseguindo respirar ou atchim." (N.E.)

PARTE UM

Rebecca e Hephzi

Rebecca

Depois

Hoje eles tentaram me fazer ir ao funeral de minha irmã. E eu, por fim, tive de ceder. O vestido preto que Hephzibah usara ano passado, quando Vovó faleceu, pendia pesado em meus ossos, e eu o vestia como uma armadura. Ela sempre foi maior. Nasceu primeiro, mais forte, mais bonita, a gêmea popular. Eu vivi à sombra dela por 16 anos e gostei do frio e da escuridão; era um lugar seguro para esconder-me. Agora eu estremecia no ar pesado de janeiro. Era o primeiro dia do ano-novo, e minha irmã estava morta havia uma semana.

Vovó era gentil e nós queríamos ficar com ela do mesmo modo que outras crianças querem que chegue o Natal. Era a oportunidade de comer chocolate e assistir TV. Uma chance de ler livros até depois da hora de dormir. Na casa de Vovó podíamos rir alto, fantasiar-nos, e ela até nos deixava usar sua maquiagem. Hephzi adorava maquiar-me; quanto mais brilhante, melhor. Vovó fez questão de que minha irmã tivesse um sutiã ao completar 12 anos. Às vezes, ela nos levava ao cinema e assistíamos a filmes inadequados: princesas da Disney, animações, Harry Potter. Ela era a mãe da Mãe. Vovó costumava beijar-me e dizer que eu era adorável. Seu amorzinho. Ninguém mais dizia isso, nunca. Conforme fomos ficando mais velhas, nós a visitávamos cada vez menos. Não havia necessidade, diziam os Pais; seríamos mais úteis nos eventos da igreja que na casa de Vovó. Longos anos de marasmo por causa de sua ausência. Sei que Vovó sentia nossa falta. Quando ela telefonava e uma de nós atendia, sua voz soava fina e distante, como um avião de papel espiralando ao longe. Então ela morreu.

Gravei o dia de hoje em minha memória como mais um dia negro, e está lá, uma dura história inscrita em meu coração. As histórias que tenho escondidas dentro de mim; se você pudesse abrir-me, leria a verdade. Olhe para dentro, retire a pele, a carne e os ossos e encontrará uma biblioteca de sofrimentos. Talvez você me peça para explicar. Eu sou, antes de tudo, a curadora desse passado. Mas algumas coisas são terríveis demais para serem contadas, e essas palavras estão enterradas profundamente. Essas são palavras que eu nunca sussurrei nem mesmo à minha irmã, essas são palavras que não ouso pronunciar em voz alta. Eu gostaria de que elas não chorassem nas paredes do meu quarto ou me caçassem nos meus sonhos.

Há uma cicatriz no meu coração causada pela morte da Vovó e outra pelo dia em que pela primeira vez Hephzi não quis acompanhar-me na volta da escola para casa. Eu tive de mentir para explicar a ausência dela quando cheguei sozinha à casa paroquial, dizendo que Hephzi tivera aulas extras de Matemática. Isso foi em setembro, quando começamos o Ensino Médio, quatro meses antes. Na escola, todos notaram o quanto minha irmã gêmea era bonita, meiga e divertida, e ela logo estava sendo convidada para festas e falando com os garotos. Por ser irmã dela, ninguém me incomodava, mas acho que os outros adolescentes riam de mim pelas costas. Talvez Hephzibah risse também. Ninguém me olhava nos olhos. Até os professores achavam isso difícil.

E agora ela está morta. E seu funeral foi hoje. O caixão era branco. A Mãe chorou. O Pai presidiu a cerimônia. Quando os bondosos carolas do lugar perguntaram-lhe como estava conseguindo suportar aquilo, ele disse que era preciso, que era seu dever para com a filha. Eu fiquei na frente, no vestido preto de Hephzi, e me perguntava se ela, de dentro do caixão de madeira, conseguia ouvir o que estava acontecendo e se também se sentia sozinha e com frio. Ela enfim saberia, pela primeira vez, o que significa ser deixada de lado. Seus amigos de escola estavam no fundo da igreja e choravam. Ele não pôde proibi-los de ir, mas seu olhar gélido deixava bem claro que eles não eram bem-vindos. Eu olhava para o chão, detestando todos eles. Hipócritas. Eles não nos ajudaram quando ela estava viva, então por que estavam ali agora, quando já era tarde demais? Terminada a cerimônia, ninguém falou comigo e eu fiquei sozinha, esperando que os Pais acabassem de receber as condolências.

Estar sozinha parecia errado. Todos podiam ver agora que Hephzi fora embora. Havia sempre um par de olhos em algum lugar me fitando com fascínio e horror. Eu podia sentir esses olhares como se fossem formigas rastejando sob minha pele. Eventualmente, Tia Melissa, a irmã da Mãe, vinha e me perguntava como eu estava. Ela viera da Escócia e eu mal a reconheci à primeira vista, mas mesmo assim ela se arriscou a colocar o braço ao redor dos meus ombros e tentou abraçar-me. Quando eu não correspondi a seus murmúrios aflitos e me distanciei de seu toque, ela recuou. Não falei com minha tia porque sabia que ele mantinha os olhos em mim, e eu estava ocupada demais contando a Hephzi o que todos ali estavam fazendo e esperando atentamente que ela me respondesse.

Uma semana sem ela havia sido muito tempo.

Entretanto, agora está escuro e o dia está quase acabando. Ainda tenho de dormir nesse quarto com a outra cama vazia a apenas alguns passos de distância. A cama de Hephzi. Às vezes acordo no meio da noite, atormentada por meus próprios gritos e pelo barulho que vem da parede e, por um momento, posso ver o contorno suave de seu corpo ali, de costas para mim — como sempre —, respirando levemente.

Hephzi

Antes

OK. Minha família é maluca. Completamente estranha. Um dia eu vou cair fora daqui, não há dúvida quanto a isso, mesmo que isso signifique deixar minha irmã para trás.

O dia em que ingressamos no segundo grau foi o início para mim. Eu aspirava isso no ar de setembro na escola, escutava isso no barulho das portas dos armários sendo batidas e nos gritos e risadas de vozes desconhecidas, saboreava isso em meus lábios quando sorria para estranhos e eles sorriam de volta para mim. Sei que agora posso ser livre. Disse à minha mãe que, se ela não me deixasse ir, eu faria da sua vida um inferno; ela deve ter acreditado em mim, e, de alguma forma, persuadiu meu pai. Sou maior e mais forte que ela agora e sei bem como trazê-la para o meu lado, assim, se tiver sorte, posso fazer as coisas do meu jeito de vez em quando. De qualquer forma, conseguimos isso, e foi como se alguém tivesse me dado as chaves de um reino. Os corredores repletos de jovens da nossa idade, de todos os tipos, de diferentes formas e tamanhos. Eu mal podia esperar para falar com eles e já sentia o olhar de admiração dos garotos. Isto é o que mais me interessa: garotos. Eu nunca tivera um namorado, mas arrumaria um bem rapidamente; sabia que não era tarefa tão difícil. Óbvio que eu teria, primeiro, de livrar-me de Rebecca. Eu não poderia tê-la pendurada em meu pescoço, afligindo-me com seus olhos estúpidos.

Você não tem ideia do que é ter uma aberração como irmã. Quero dizer, estou acostumada com isso. Para mim, o rosto dela é tão familiar quanto o meu. Mas, quando as pessoas a veem pela primeira vez, bem, não se pode culpá-las por quererem vomitar. E isso não parece fazê-la querer tornar as coisas mais simples para si mesma; ela nem mesmo tenta conversar sobre coisas normais. Sei que as coisas não são normais lá em nossa casa, mas digo a ela para ao menos tentar. Se você a ouvisse, entenderia isso bem depressa. Mais que tudo, eu falo para ela não ser tão fechada, para arrumar coisas interessantes para fazer. No entanto, ela continua aprisionada nessa coisa toda. Ela só precisa ser um pouco mais parecida comigo e parar de ficar tremendo à minha sombra.

Na hora do almoço, eu já estava farta de vê-la arruinar tudo, e era um alívio seguir o restante do pessoal até a cantina sem ela por perto. Na fila, comecei a falar com Daisy e Samara, as quais reconheci de uma das aulas. Eu estava tão empolgada que só quando cheguei ao caixa é que me dei conta de que o almoço não era grátis e de que eu estava empatando a fila, então fingi procurar dinheiro no bolso. Samara, que estava logo atrás de mim, ofereceu-me 1 libra e 50 centavos emprestado. Espero que ela se esqueça de pedir que eu devolva. Quando nos sentamos à mesa plástica redonda para comer, elas me perguntaram o que havia de errado com Rebecca. Eu sabia que tinham cochichado sobre isso. Pensei rapidamente no que dizer. Eu não entendo por que Rebecca tem de ser tão constrangedora para mim. Por que sempre tenho de explicar tudo? Não falei nada do que pensei. Disse apenas que ela tinha um rosto engraçado. Fim da história.

— Ela sofreu algum acidente? — perguntou Samara.

— Não. Nada disso. É uma síndrome que a faz parecer um pouco estranha, só isso.

— Ah! — Samara e Daisy se entreolharam e não precisei explicar mais. Não lhes falei do que Vovó contara a mim e a Reb quando éramos pequenas a respeito de como as coisas podem dar errado na maneira como os ossos da face se formam quando se está dentro da barriga da mãe.

— Mas está tudo bem. — Eu não achava que elas estivessem convencidas de que Rebecca era mesmo normal (bem, droga), e pude ver Daisy chutando Samara por debaixo da mesa. Mas falavam de outras coisas e me convidaram para ir a um pub na sexta-feira, e achei que tudo bem. Elas vão toda semana. Aparentemente, é bastante fácil entrar num pub sendo menor de idade se você tiver uma identidade falsa. Eu disse que não tinha e elas prometeram arranjar uma para mim. Craig, o garoto alto, de cabelos escuros, bonitinho, mas não muito falante, conhecia alguém que faria isso por 5 libras. Cinco libras era muito dinheiro, mas eu podia pegar da bolsa da Mãe. Geralmente, eu não ousaria, mas teria de correr alguns riscos se quisesse ter uma vida. E se ela notasse, eu não assumiria a culpa.

Esquecera-me de guardar um pouco do almoço para Rebecca, mas ela não disse nada, e eu também não; depois da escola, eu iria com Samara à casa de Daisy e Reb teria de voltar sozinha para casa. Mas primeiro eu precisava fazê-la prometer que me daria cobertura.

É incrível ir a uma casa normal. Nós sabíamos que elas existiam, Vovó nos mostrara, mas eu me esquecera de como é não ter de arrastar-se na ponta dos pés, não ter de ser o menor e mais silencioso possível. Os pais de Daisy estavam ambos trabalhando, então nós subimos direto para o quarto. Ela tinha sua própria TV, seu próprio banheiro e tudo era amarelo e branco — as cortinas, as roupas de cama, tudo combinava. Por um momento, fixei meu olhar. Eu queria tocar cada coisa: acariciar os bichos de pelúcia que ela mantinha alinhados numa prateleira, experimentar seus sapatos e pular em sua imensa cama com dossel. Daisy colocou uma música, e nós entramos no Facebook. Eu não podia acreditar que ela tinha seu próprio computador também. Elas criaram uma conta para mim, foi um pouco constrangedor admitir que eu não tinha uma, mas não disseram nada, e eu as olhava com muita atenção enquanto usavam o computador, tentando aprender o mais rápido possível. Daisy tirou uma foto minha com seu celular e a colocou no meu perfil. Eu adicionei as duas, e agora era só esperar as solicitações de amizade. Elas fizeram minhas unhas e tiraram minha sobrancelha, rindo, enquanto eu gritava de dor, diziam que eu estava bonita. Eu nunca me divertira tanto em toda a minha vida.

Só quando Daisy me perguntou como era ser filha de um presbítero é que fiquei um pouco desconfortável.

— Ah, eu não sei... Normal, eu acho.

— Sério? Você tem que, tipo, rezar o tempo todo? Ir à igreja todos os dias?

— É mais ou menos assim... mas, às vezes, nós não vamos. — Não contei a elas que nós nos escondíamos na cama e brincávamos de ser invisíveis. Graças a Deus, Samara mudou de assunto.

— Craig gosta de você.

Eu estava explodindo por dentro. Ele era definitivamente o cara mais legal desse ano e era bonito. Mesmo!

— Como você sabe? — perguntei, tentando não parecer incomodada, mas sentia que estava corando. Eu tinha de lidar com aquilo.

— Ele disse que você é uma gracinha.

Bem, eu não tinha certeza de que aquilo era mesmo tão bom assim. O que realmente queria dizer? Gracinha como um cachorrinho, um gatinho?

Daisy pareceu desconfortável.

— Ele nunca namora ninguém, então, você sabe, não crie expectativas.

— Ah, sim, claro.

Ela mudou de assunto.

— Como era estudar em casa? Não era estranho?

— Às vezes era um pouco chato. Éramos apenas Rebecca, mamãe e eu.

— Eu pensei que você se encontrasse com todos os outros que estudavam em casa. Era o que minha prima fazia. Ela tinha um monte de amigos.

— Ah, sim. Nós fazíamos isso também. Claro. — Seria um monte de mentiras para contar. Então me dei conta de que tinha de ser cautelosa com o que dizia.

— O que você está achando da escola?

— É bacana. Eu acho que eu vou gostar, sim. Todo mundo é muito legal.

— Bem, os professores são legais. Sua irmã pareceu um pouco chateada quando nós a deixamos sozinha. Ela poderia ter vindo junto.

— Não, acho que não, ela não ia querer mesmo. — De jeito nenhum eu deixaria Rebecca queimar meu filme. Ser gêmea já é chato, mas Rebecca era muito maçante.

— Você vai ao pub na sexta-feira, então?

— Talvez, vou ver.

— Você tem de ir. O Craig estará lá — disse Samara.

Eu definitivamente tinha de ir. Era só questão de conseguir escapar.

Quando finalmente cheguei em casa, percebi que Rebecca de fato me dera cobertura, então eu ignorei o olhar desconfiado de meus pais e agi como se nada tivesse acontecido. Eu arrancara o esmalte das unhas enquanto caminhava de volta para casa, deixando uma trilha de lascas de esmalte atrás de mim, como na horrível história que Vovó nos lera algumas vezes. É legal o trecho em que a menina empurra a bruxa para dentro do forno. Rebecca e eu gostávamos um bocado disso.

Era noite de oração e não havia como me esquivar. Acredite, eu estava cansada. Nós nos sentávamos no salão congelante da igreja, tremendo. Roderick, meu pai, sempre dizia que não havia fundos o bastante para aquecer adequadamente o local. Eu olhava para os outros. Era um bando patético — umas poucas velhas corocas e alguns outros do fã-clube dele. Todos com seu hálito fétido, cabelo ensebado, olhos vidrados e distantes, como se alguém lhes tivesse golpeado a cabeça com uma frigideira. Enquanto eu, sentada, desesperada, tentando não ouvir o que meu pai dizia, pensava em como faria para escapar na sexta-feira. Eu precisava de algo novo para vestir e cogitava a caixa de donativos. Era impossível que na nova pilha de coisas que chegara não houvesse algo que me servisse. Teria de procurar mais tarde, quando todo mundo tivesse ido dormir. Aposto que a mãe de Daisy a leva para fazer compras quando ela quer algo novo. Minha mãe nunca compra nada. Ela não faz nada novo, e ponto final. Ela estava sentada, com os olhos bem fechados e a cabeça baixa, vestindo roupas que pareciam feitas para uma idosa. Era desconcertante vê-la tão maltrapilha. Rebecca e eu fazíamos ao menos algum esforço, mesmo que para Rebecca tudo que importava era que estivesse limpa. Às vezes, quando queriam nos punir, trancavam o banheiro, mas eu sempre dava um jeito. De jeito nenhum eu sairia por aí como se tivesse mergulhado a cabeça numa frigideira cheia de óleo.

Depois das orações, os cânticos e as curas, São Roderick ia ao encontro dos fiéis e os cumprimentava. Ao contrário de minha mãe, ele gostava de pavonear-se, e eu tinha de ficar ao lado dele, toda cheia de sorrisos, enquanto as pessoas elogiavam seu velho e chato sermão. Bocejos.

Ele me agarrava pelo braço na volta para a casa paroquial. Um pouco apertado demais.

— Bem, Hephzibah. Como foi a aula hoje?

— Bem, obrigada. — Eu tentava desvencilhar-me, mas ele não me deixava ir. Eu ficava com o braço dolorido.

— Espero que você não torne um hábito voltar para casa tarde. Eu não gosto nem de imaginar você sozinha andando pelas ruas no fim da tarde. — Sua voz era tensa, esticada como um fio de arame.

— É perfeitamente seguro. — Discutir com ele não era coisa sensata a fazer, mas, às vezes, eu não resistia. Eu posso aguentar coisas, muito mais do que Rebecca jamais poderá.

— Da próxima vez que você estiver planejando ficar até tarde, avise-me, e estarei lá para buscá-la.

Sim, nos seus sonhos, pensei. Mas, em vez de dizer, eu sorri e agradeci. Com um pouco de sorte, ele estaria fora na sexta-feira e eu poderia sair escondida.

Na cama, eu decidira que era hora de melhorar meu relacionamento com Rebecca. Ela mal falara comigo aquela noite, e eu sabia que era por eu ter saído sem ela. Sua aparência de cachorro perdido era tão irritante, mas eu tinha de fingir que não percebera que havia algo de errado.

— Você deveria ter ido com a gente hoje. Daisy e Samara são muito legais. Você teria se divertido.

Ela continuava em silêncio, o rosto virado para a parede, contorcida em sua cama. Era tão magra que mal se notava que ela estava ali.

— O que foi? Você não gostou da escola?

Nenhuma resposta. Dei um suspiro martirizado e rolei na cama, virando de costas, eufórica demais para dormir. Eu mal podia esperar para ver meus novos amigos e Craig no dia seguinte. Lembrei-me da nota de 5 libras que precisava encontrar antes de dormir e tentei sugestionar-me a acordar bem mais cedo para esgueirar-me e dar uma olhada na bolsa da Mãe.

Rebecca

Depois

Quando acordei naquela manhã, ainda era janeiro. Ainda era o dia seguinte ao funeral. Hephzi continuava morta. Já se passara mais de uma semana. Minha cabeça pesava como chumbo no travesseiro e minha garganta doía como se tivesse engolido arame farpado mas ainda assim eu tinha de levantar-me e ir à escola. O semestre estava se iniciando, e, se eu fosse faltar, era melhor desistir de uma vez por todas. Nós fingíamos que éramos normais e os Pais estavam sempre me observando, assegurando-se de que eu estivesse andando na linha que me fora demarcada como uma rachadura no vidro; se eu escorregasse ou tropeçasse, algo se quebraria. Eles nos obrigavam a manter as aparências, Hephzi e eu. Hephzi sempre foi melhor do que eu nisso também. Ela conseguia sorrir, piscar e dizer exatamente o que eles queriam ouvir, e assim fazer as pessoas seguirem seu caminho felizes por terem falado com ela. Ela herdara essas maneiras do Pai. Mas eu tive algo importante a fazer hoje. Bem quando eu estava prestes a ir para casa, logo depois do funeral, Daisy, uma das novas amigas de Hephzibah, passou por mim e colocou um pedaço de papel sobre o meu peito. Eu leria o bilhete e depois o rasgaria em pedaços pequenos, que o vento se encarregaria de levar para longe.

Até setembro, a Mãe fora nossa professora e nos ensinara em casa. Ela era especialista em infelicidade e lições de doloroso silêncio, com lampejos mascarados de Matemática básica e Inglês. Quando o inspetor de ensino domiciliar vinha verificar nosso desempenho, mostrávamos que sabíamos tudo. Entretanto, quando completamos 16 anos, Hephzi exigiu que fôssemos mandadas a uma escola normal, para o Ensino Médio comum, que nos possibilitasse entrar numa universidade. Fazia anos que ela pedia isso, e sua voz foi crescendo, deixando de ser mansa, suave, e então, quando ela soube por intermédio da Sra. Sparks que poderíamos ingressar no segundo grau, não pôde mais calar-se. O Pai tentou a todo custo persuadir-nos, assim como as pessoas da escola, mas pelo menos dessa vez as cartas estavam a nosso favor. Os professores tomaram providências e nos ajudaram a entrar. Era uma situação incomum, mas eles nos dariam subsídios para que pudéssemos continuar estudando. Eu estava feliz. Pensava que finalmente respiraríamos ar fresco, longe da trilha séptica da Mãe. Estávamos morrendo por dentro conforme seguíamos os passos dela, imóveis. Eu ansiava por ser livre, só que, bem, eu não estava muita certa a respeito da escola. Sair de casa poderia ser bom, mas me deixava preocupada. Não era comigo mesma que eu estava preocupada, mas com minha irmã.

A Mãe odiava a ideia de que estivessem nos fazendo um favor mandando-nos para uma escola no bairro, onde nos matricularíamos no Ensino Médio. Porém, era tarde demais para voltar atrás em tudo o que tinham dito. A maioria dos jovens da região estava lá, e aquela seria a oportunidade de experimentar algo novo, conhecer algumas pessoas, divertir-nos um pouco, que era o que a Sra. Sparks me dissera quando esbarramos com ela no primeiro dia em que deixamos a casa paroquial para andar um quilômetro e meio pela estrada que levava à escola. Hephzi pensava naqueles que ela iria conhecer, aqueles que não frequentavam a igreja, pessoas que nunca tivemos a chance de encontrar — que eram a maioria deles. Mas nós os víamos comprando batatinhas na hora do almoço, fumando sentados nos balanços, caminhando de braços dados pela cidade. Hephzi começou a olhá-los com inveja, e eu a via esperar por eles, e eu desejei roubar-lhes sua perspectiva. Então, esse pensamento escapou de minha mente, como uma onda de esperança, e pensei que poderia encontrar um amigo ali também, alguém, além de Hephzi, com quem eu poderia conversar. Mas isso não funcionou como esperado.

Craig estava esperando na área de recreação, como dissera no bilhete. Ele estava sentado num balanço, inclinado para trás, olhando para a extensão do céu. O ar estava branco, branco com frio e branco com gelo, e eu apertei o casaco em torno de mim conforme pisava firmemente no chão morto e congelado, como o coração do Pai. Não fosse por Craig, o lugar estaria vazio. Ninguém nos veria. Enquanto eu caminhava até ele, lutando contra um vento que levava lascas de frio até meus ossos, meu corpo doía, e eu vacilava. Eu poderia ter me virado e voltado atrás. Eu nem deveria estar ali, mas Craig me vira e agora vinha em minha direção. Eu o segui até a pequena casa de boneca do playground e me esmaguei, pequena e apertada num canto. Ele acendeu um cigarro, e eu me afastei mais ainda. Alguém pichara palavras ofensivas na mesinha que havia ali, e eu olhava para elas enquanto esperava que ele falasse primeiro; eu não tinha nada a dizer. Quando chegou à metade do cigarro, ele começou a falar, sua voz era áspera.

— Você vai nos contar o que aconteceu, então?

Não respondi. Por que eu deveria contar-lhe alguma coisa? Ele não era meu amigo.

— Olha, tudo que quero saber é como ela morreu.

Novamente não respondi. Era isso que ele queria, interrogar-me sobre a minha irmã morta. O que mais eu poderia esperar? Ela não era da conta dele. Eu me movi, ainda em pé, pronta para ir embora. Deveria estar na escola, na aula de Física. Seria um inferno para mim se alguém contasse aos pais que eu não estivera lá.

— Aonde você vai?

— Física.

— Você pode esperar um pouco?

Do lado de fora da casa de boneca, olhei para ele, sentado ali, com seu gorro, tragando o cigarro até o filtro, as pernas longas encolhidas à maneira de uma sanfona num espaço pequeno, eu imaginava por que Hephzi gostara dele. Eu sabia que estava doente. Minha cabeça doía e a garganta estava estranha. Dentro do velho casaco, eu estava suando e tremendo. Enquanto me virava para marchar de volta à civilização, eu o ouvi chamar meu nome, mas não respondi. Ele não era nada para mim.

Quando alcancei a escola, sabia que algo realmente não estava bem. Desabei no corredor oposto às mesas da recepção não me importando com quem estivesse me vendo ou encarando. O sinal para a segunda aula soou, e pés lentos calçando tênis e botas sujas passavam por mim. Eu os via seguir e imaginava se alguém iria parar. No entanto, foi um par de saltos altos que hesitou e parou.

— Está tudo bem aí?

Eu olhei através de minha franja lisa e oleosa, sem me importar de não haver tomado banho aquela manhã. Sem Hephzi para atormentar-me, eu podia ser fedorenta como bem gostava.

— Você é Rebecca, não é?

Eu consegui apenas acenar com a cabeça.

— Espere, deixe-me chamar alguém.

Os saltos soaram indo embora e voltaram com mais um par de pés, dessa vez um pouco mais delicados.

— Vamos, querida, mexa-se. — Mãos fortes me seguraram e me colocaram na vertical, e eu pendi nos braços zelosos. Ele me levou até uma cadeira de plástico para além da portinhola da recepção e me sentei, tremendo e esperando o que iria acontecer. Eu nunca protagonizara um drama assim antes. Na verdade, geralmente fazia questão de permanecer bem longe dos holofotes. Alguém estava sendo chamado. Era a enfermeira da escola, que, abrindo passagem, deu uma olhada em mim e disse:

— Chamem os pais.

A Mãe veio ao meu encontro. Ela não tinha carteira de habilitação, então veio caminhando, o que levou uma eternidade. Eu continuava sentada na recepção, não me importando com quem ficasse me encarando, e a enfermeira vinha de vez em quando dar uma olhada em mim. Ela me dera um copo plástico com água e dois comprimidos de paracetamol, que não ajudaram em nada. Depois de mais ou menos uns 20 minutos, Craig se esgueirou e entrou, evitando olhar em minha direção, como sempre fazia.

Quando a Mãe chegou, a enfermeira reapareceu.

— Rebecca está com febre alta e precisa de repouso absoluto, senhora Kinsman. Eu marcaria uma consulta com um médico se fosse a senhora.

A Mãe acenou com a cabeça. Ela parecia irritada.

— Vamos, Rebecca. Vamos para casa.

— Ela está muito fraca, acho que precisará de ajuda para chegar até o carro.

— Carro? Eu não vim de carro. Ela pode caminhar. O ar fresco lhe fará muito bem. — Ouvi minha mãe rir, numa frágil explosão, e eu sabia que aquilo significava que ela não estava disposta a seguir as recomendações de uma benfeitora qualquer. Esse era o nome que eles davam a pessoas como a enfermeira da escola ou os médicos locais ou o professor. Quando eu era criança, uma ou duas vezes algumas pessoas foram à casa paroquial, como assistentes sociais ou médicos ou pessoas interessadas em saber como eu estava, não sei muito bem. Eles falavam sobre mim, e ele explicava como eu era tímida e lenta e dizia que faziam o melhor que podiam por mim. Eu estaria sentada nos joelhos dele, enquanto todos me encarariam com um olhar distante, ouviriam-no falar, sorririam e partiriam. O Pai explicou que não deveríamos nunca conversar com pessoas como aquelas e que ficaríamos em apuros se fizéssemos isso. Ele dizia que ninguém gostava de crianças mentirosas e que estas eram severamente punidas. Nunca acredite num benfeitor, dizia ele. Não acredite no rosto deles, porque esses rostos são tão atraentes quanto uma torta.

— Você mora na igreja, no final do bairro, não é mesmo? Você pode ligar para alguém e pedir uma carona?

— Acho que não. Agora vamos, Rebecca.

Meus pés começaram a hesitar e as paredes pareceram rodar. A enfermeira deu um passo à frente, segurou-me para que eu não caísse e me conduziu de volta à cadeira.

— Senhora Kinsman, eu entendo que sejam tempos difíceis, mas Rebecca realmente não está bem. Ela não está em condições de caminhar por toda a avenida Principal. Eu pedirei a Linda que chame um táxi para vocês.

A recepcionista fez a ligação. Eu estava tão mal que nem me amedrontei diante das consequências que me esperavam em casa quando o Pai nos visse chegando num táxi. A Mãe não disse palavra durante o caminho; nem precisava mesmo, seu silêncio congelava o ar entre nós. Ela me ajudou a sair do carro e pagou o taxista antes de arrastar-me para dentro de casa, olhando por sobre os ombros.

— Onde ele está? — murmurei.

— Fazendo visitas.

Assenti com a cabeça e subi as escadas, caindo na cama totalmente vestida.

Ela não me trouxe nada para beber nem nenhum analgésico. Eu duvidava que houvesse algum em casa e sabia que ela não ligaria para o médico. Eles não gostavam que pessoas viessem à nossa casa a não ser que fosse por algo relacionado à igreja, quando então as recebiam no primeiro andar e podiam usar o bule elegante da Vovó. Ocasionalmente, eu me arrastava até o banheiro e bebia água da torneira. Durante três dias fiquei oscilando entre tremores e suadouros. No ápice da febre, no meio de uma dessas noites, vi Hephzi sentada ao pé de minha cama. Ela sorria e me falava para ser forte; e depois, acenando alegremente, afundava no chão, engolida pelo carpete. Estendi a mão para ela, para puxá-la de volta, mas estava muito fraca e lenta. Eu implorava outra vez para que Hephzi voltasse para mim, gritando-lhe silenciosamente, no entanto, ela partira, e eu caí novamente sobre os lençóis encharcados de suor, e a parede começou a chorar.

Enquanto estive lá esperando que alguma coisa acontecesse, ele veio. Meus olhos se abriram rapidamente, saindo assustados de um sonho, e viram o Pai na frente de nosso guarda-roupa, segurando os poucos pertences de Hephzi. Imóvel como uma estátua, deixei minhas pálpebras se fecharem e quis tornar-me invisível. Ele enterrou a cabeça nas roupas dela, gemeu, choramingou, murmurou e, em seguida, levou o pacote do quarto, sem ao menos olhar para mim. Eu estava feliz por já ter escondido as coisas dela de que eu mais gostava, a blusa azul, o colar de prata. Um pequeno frasco de amostra de perfume que uma mulher lhe dera após ela ter se encantado com o cheiro. Se ele começasse a aparecer assim, eu teria de ser ainda mais cuidadosa. Nenhum lugar era seguro.

É difícil esconder-se aqui. Essa era a razão pela qual brincávamos de jogo do invisível. Os Pais tinham também seus divertimentos e jogos, e, por um tempo, eu era um bom espécime para ele praticar, mas, quando meu rosto permaneceu inalterado, independentemente de seus esforços, ele percebeu que eu não era um exemplo adequado de seu poder e que ele não podia realizar milagres comigo apesar de toda sua publicidade. Então começou a deixar-me com Vovó novamente, mas eu podia lembrar-me de como os serviços especiais dele me aterrorizavam. Eu não gostava de ver outras crianças chorarem enquanto ele lhes exorcizava os demônios. Eu queria esconder-me. Como um charlatão medieval, ele viajava pelo país, vendendo uma fé falsa e o elixir da vida eterna. No carro, a caminho de casa, a Mãe contava seus ganhos, e ele batia no volante com o punho e gritava: "Aleluia! Glória a Deus!".

Seu demônio ainda aparece nos meus sonhos, e eu grito por libertação enquanto ele me enlaça, me toma de assalto e me quebra ao meio.

Por fim, alguém deu um basta à sua atividade escusa, mas ele ainda oferecia seus serviços na calada da noite. Nessas horas é que brincávamos do jogo do invisível e fingíamos não ouvir os gritos que vinham do andar de baixo.

Finalmente, eu me sentia melhor e precisava comer. A manhã já estava quase no fim. Vesti meu cardigã e desci as escadas tateando. A luz do sol que atravessava a janela do cômodo fazia dançar as estampas do tapete e do papel de parede. Eu comeria alguma coisa e depois iria para a escola. Já antes da morte de Hephzi, eu decidira estudar muito e pensava em dar tudo de mim nos exames para obter meu passaporte para fora da casa paroquial. Eu não poderia viver com eles pelo resto da vida, e aquela era a forma de escapar. Agora, os olhares acusatórios tornavam ainda mais óbvio que eu tinha de ir embora.

Sem ninguém por perto, fiz torradas e tomei suco das laranjas que eu, tremendo, tirara da valiosa sacola de compras que carregara desde a venda até em casa. A margarina deixara um gosto rançoso no pão, que fora quase carbonizado na torradeira, mas comi mesmo assim — não importava. Em nossa casa, comida era uma necessidade e nunca um luxo. Eu observava a velha fórmica e o revestimento descascado do chão. O velho fogão sujo e as paredes encardidas encontraram meu olhar. Mesmo que eu tivesse um amigo, trazê-lo ali estaria fora de cogitação. Hephzi tentara fazer de nosso quarto um lugar bacana; ela contrabandeara uma lata de tinta da mãe de Craig quando ela estava reformando a sala de estar e pintou meia parede de verde-pálido. Foi no outono. Ela não conseguiu terminar antes de morrer. Eu não me encarregaria dessa tarefa, não chegaria nem perto das paredes a menos que fosse obrigada. Enquanto eu mastigava a torrada, imaginava onde estariam os Pais. A porta batera havia mais ou menos uma hora. Ninguém subira para me ver aquela manhã, e eu sabia disso muito bem, pois teria notado. Se me apressasse, chegaria na quarta aula. Matemática. Eu não podia me dar ao luxo de ficar para trás na minha matéria preferida e sabia que devia haver toneladas de conteúdos de que precisava me inteirar.

Após o almoço, eu estava cansada e me refugiei na biblioteca. Aquele se tornou o lugar onde eu ficava na maioria dos dias, e, assim que entrei, o bibliotecário levantou o olhar e sorriu.

— Rebecca! Fiquei pensando por onde você andava. Você está bem? — Seu calor me envolvia como um cobertor, e eu assenti e sorri de volta, sentindo meu rosto engraçado. Eu esperava parecer vagamente normal. Uma vez pratiquei no espelho do banheiro da escola, procurando um jeito de mexer a boca que fizesse parecer menos medonha, mas, independentemente de quanto eu me esforçasse, o meu amontoado de dentes sempre tomava conta de minha expressão, e eu não conseguia disfarçar o antigo cemitério que se escondia vergonhosamente atrás de meus lábios. Eu sempre sorria com a boca fechada e falava o mínimo possível.

Fui para o fundo da biblioteca, para retomar de onde parara, a meio caminho da letra C. Eu estava determinada a ler todos os livros de todas as prateleiras, mas aquilo estava me tomando muito tempo. Eu não podia levar os romances para casa, e o único momento em que podia ler era durante a hora do almoço, na biblioteca, ou num tempo livre atípico. No entanto, eu estava determinada a não desistir. Quando eu era transportada para o Morro dos Ventos Uivantes ou para o centro de Los Angeles, ficava feliz, meu mundo recuava e, por 40 minutos, a realidade ficava suspensa em algum lugar acima da escola, como uma bexiga preta esperando o sinal para estourar. Agora eu estava terminando a leitura de um Raymond Chandler que, no tempo em que estive doente, me perguntava sobre o final, inventando versões alternativas da história para manter a mente entretida em seus momentos mais lúcidos. Hephzi não gostava de ler tanto quanto eu, mas, às vezes, à noite, quando não conseguia dormir, ela me acordava e me pedia para contar-lhe uma história, e eu contava sobre *Emma* ou *Villette*, e em seguida voltávamos a cochilar, contentes. Hephzi não teria gostado desse que eu estava lendo. Ela gostava de romances e finais felizes. Assassinatos e mistérios não eram seu estilo.

Quando eu estava saindo da biblioteca, a Sra. Larkin interrompeu meus passos.

— Olhe, Rebecca! — Ela segurava um panfleto. — Eu vi isso e na hora pensei em você! É uma escola de verão. — Vendo minha expressão, ela empurrou mais firmemente o panfleto em minha direção. — Aqui, pegue. É algo a se pensar, pelo menos.

Peguei o folheto lustroso e olhei para a fotografia, meninas e meninos sentados juntos num gramado verde sob uma faia. Os rostos eram brilhantes como seu futuro, e no colo deles havia livros abertos. Eu não os reconheci. “Cambridge Summer Schools”, o panfleto dizia, “para estudantes talentosos e superdotados.” Devolvi-lhe o folheto balançando a cabeça.

— Pegue, pense a respeito — encorajou-me. E eu, ao ver o desapontamento enrugar-lhe o rosto por minha recusa, coloquei a coisa no meu bolso. Eu o jogaria fora depois. Não havia por que sonhar; o folheto não era mais que um sapatinho de cristal entregue à irmã feia. Eu nunca me encaixaria naquele lugar mesmo se me deixassem ir, o que era em si um conto de fadas. A Sra. Larkin o fez por bem, então dei meu sorriso discreto e fui para a aula. Enquanto o professor fazia a chamada e dava recados, tirei o folheto do bolso. Não resisti ao papel brilhante, aos sorrisos e aos rostos inteligentes. Os cursos eram todos para alunos do Ensino Médio, mas o que fora sublinhado pela Sra. Larkin saltou-me aos olhos imediatamente. Entretanto, eu não estudava Inglês. Eu fazia as matérias que ele escolhera, coisas que nunca entenderia. A ideia de estudar literatura por duas semanas inteiras descarregou um misto de medo e animação no meu coração, como um pequeno choque elétrico. Coloquei o panfleto no meu armário ao final da aula; eu o veria novamente no dia seguinte.

A vida em casa sem Hephzi era difícil. Ela era o cimento que segurara os tijolos de nossa família. Se é que era possível nos chamar assim. Eu não gosto da palavra, não para nós, dizê-la é como tentar engolir uma pedra. O Pai, de alguma forma, amava Hephzi. Ela conseguia fazê-lo rir de suas piadas, e ele atendia aos caprichos dela e orgulhava-se de sua vivacidade e beleza.

Lembro-me de que cantávamos hinos quando tínhamos 11 anos. Alguém do coro da igreja sugeriu que arrecadássemos dinheiro para a caridade cantando bairro afora. Canções não eram normalmente permitidas, não para nós, mas o maestro do coro insistira.

— Hephzibah tem uma voz linda, pastor, ela poderia fazer um pequeno solo. — Ele a ouvira cantar, enquanto políamos o altar num sábado. Ela tapara a boca muito tarde, percebendo seu erro apenas quando ele parara de martelar seus acordes no órgão para ouvi-la. Esperávamos que ele não fosse contar, mas ele contou.

Hephzi virou-se para o Pai, radiante de vontade e animação.

— Por favor, Papai, farei o meu melhor, eu prometo, não o decepcionarei.

Ele teve de dizer sim, não pôde resistir, especialmente com o coro todo o observando e a Sra. Sparks assentindo com tanto entusiasmo perto dele, e assim tivemos nossa chance. Ele andava conosco — eu seguia atrás, segurando a lata para o dinheiro, e Hephzi cantava como um anjo em todas as casas em que parávamos.

— Que maravilhoso! Que encantador! Que voz linda! Ela não é adorável? — diziam e colocavam os seus trocados em minha lata. A despeito de si mesmo, o Pai se enalteceu e se regozijou em sua glória. No entanto, isso nunca se repetiu, mesmo ela tendo implorado por outra chance. A música a levaria ao pecado, esse era o ponto de vista dele, e toda a cantoria cessou exceto pelos salmos que cantávamos na igreja.

Agora, com a partida de Hephzi, ele se tornara mais rabugento que nunca. E amargurado. Essa raiva ácida e afiada era dirigida a mim, aquela que sobrevivera. Aquela que deveria ter morrido.

Culpavam-me por trazer o holofote para nossa casa, tornando mais difícil para eles fazerem o que bem entendessem. O Pai me odiava porque a coisa de que ele gostava de cuidar, como um abutre ganancioso, partira, e eles agora precisavam tomar cuidado, ser mais vigilantes, caso outras perguntas fossem feitas. Mas eu me culpo também. Eu deveria tê-la salvado. Era o meu dever.

— Então você finalmente se levantou hoje — vociferou ele quando cheguei em casa de volta da escola. Eu tinha de voltar andando, é claro, e me debatia, no final da tarde, escorregando em placas de gelo enquanto meus sapatos se encharcavam. Eu não almoçara e tomara apenas alguns goles de água do bebedouro ao lado da enfermaria durante o intervalo da tarde. Meus joelhos tremiam. Tudo o que eu queria era arrastar-me até minha cama.

Em resposta, assenti, melhor do que olhá-lo e encontrar seus olhos. Muitas vezes apenas a minha presença era suficiente para enraivecê-lo.

— É melhor ir para a cozinha e ajudar a sua mãe. — Ele me dispensara facilmente e me afastei logo. A Mãe estava esvaziando uma lata de cenoura em conserva numa panela. Um pedaço de carne borrachudo e seco aguardava numa travessa. Ela sempre deixava a comida passar do ponto.

— Posso ajudar?

— Ponha a mesa. — Ela desviou o olhar de suas tarefas e pude perceber o quão envelhecida ela parecia, como um desses trapos miseráveis pendurados nas torneiras. Seus olhos eram do mesmo azul pálido que os meus, da cor da aurora num céu de inverno, e eu me perguntava se ela nunca se apercebera disso. Hephzi tinha grandes e encantadores olhos castanhos e cílios tão longos que tremulavam como asas em seu rosto. Você nunca teria adivinhado que éramos gêmeas, e Hephzi teria ficado contente com isso. Quando lhe convinha ela podia dizer que nem nos conhecíamos.

Ela me belisca quando penso coisas assim. Afasto seus dedos e lhe digo para não negar; ela sabe que é verdade. Eu tentaria fazê-la falar comigo mais tarde. Se ela estivesse realmente ali, então eu a queria ali de verdade, não apenas ouvindo e desaparecendo de novo, deixando-me sozinha.

Comemos em silêncio. Mastiguei minha comida cuidadosamente, tentando deixá-la mais fácil de engolir, mas eu podia sentir pedaços de carne dura e cartilagem alojando-se nos cantos tortos e estreitos de minha boca. Seria impossível removê-los. Para mim, era difícil comer com a boca fechada; era difícil ser invisível. Frequentemente, o Pai me olhava com desgosto, pronto para o bote. Ele me fitava com os olhos fixos, de um azul tão escuro que era quase preto, e eu tentava ser mais silenciosa, não bater os talheres ou beber ruidosamente e mastigar sem fazer barulho. Afinal, decidi engolir a comida sem mastigá-la para evitar rosnar, e eu podia ver a Mãe fazer o mesmo, cortando pedaços de carne tão pequenos que podiam escorregar pela garganta sem serem percebidos. Aquela seria uma das noites dele, dava para sentir no ar.

Quando ele bebia, Hephzi e eu geralmente ficávamos aliviadas. Às vezes, significava que podíamos desaparecer, ir lá para cima, cochichar e dar umas risadinhas em vez de sermos forçadas a permanecer sob seu olhar vigilante, enquanto líamos trechos das escrituras que ele preparara durante o dia e éramos interrogadas sobre os princípios obscuros de sua fé. Eu não acredito no Deus dele. Ele nunca veio ajudar a mim ou a minha irmã, e essa é a prova de que preciso. Assim como o amor. Bem, se Deus era amor, ele morrera com minha avó. Como se soubesse, de alguma maneira, dos meus pensamentos perigosos, o Pai lançava as perguntas mais difíceis em minha direção, torcendo para que eu falasse algo de que fosse me arrepender. Então, Hephzi começava a chorar, ela odiava vê-lo fazer isso comigo, e isso às vezes adiava nossa pena. Por isso, quando ele se ocupava de sua garrafa, nós quase sempre nos sentíamos seguras. Quase sempre.

Ir para a cama cedo era uma boa ideia. Se eu tivesse a chave do meu quarto, teria me trancado. O Pai guardava a chave. Mas pelo menos ele nunca entrara. Ele sempre cuidava de seus negócios sujos lá embaixo, como se isso fosse normal. Empurrei a cama de Hephzi contra a porta esperando que ela não fosse ficar brava.

— Posso fazer isso, Hephz? Eu não quero que ele entre — cochichei.

Não houve resposta. De novo.

Então fingi que ela estava brincando de invisível e entrei na brincadeira. Continuamos assim até eu ir dormir.

Hephzi

Antes

Isto é o que penso do colégio até agora. Primeiro, as atividades são chatas, principalmente os deveres de casa. Ainda bem que Rebecca está fazendo o meu por mim, embora eu possa ver que ela também odeia. Em segundo lugar, os professores são chatos e não têm ideia do que é ser jovem e querer se divertir. Eles falam por horas e horas e horas, o que é basicamente meu conceito de tortura. Por último, meus novos amigos são fantásticos, e nunca me diverti tanto em minha vida. Aleluia!

Bem, na maior parte do tempo, sim.

A coisa é que você precisa tomar cuidado com o que fala por aqui. Quando estou com Reb, posso dizer o que quiser, e ela sabe quase tudo o que penso sem que eu precise abrir a boca. Mas aqui! Há coisas que você precisa pensar, coisas que você precisa dizer. Coisas que definitivamente não pode dizer, pois se disser todos irão odiá-lo.

Você precisa pensar que Daisy é a menina mais bonita do Ensino Médio e a mais popular. Você tem de pensar que ela certamente terá o papel na apresentação de Natal da escola. Eu gostaria de fazer um teste, é um musical, mas sei que não tem sentido.

Você também tem que rir dos professores e zoá-los. É bem engraçado, mas eu não esperava isso.

Você realmente não pode começar uma discussão na sala de estudo. Descobri isso outro dia, no final da primeira semana, quando eles estavam falando de um menino, Sam, que eu achava um tanto simpático. Ele me pergunta todo dia como estou e diz que gosta de minha roupa, mesmo eu sabendo que ele sabe que é a mesma de ontem. Bem, eu pensei que talvez ele estivesse interessado em mim, até Samara me contar mais sobre ele.

— Sam conheceu um carinha da escola, no centro, e eu os vi juntos. Ele é adorável.

— Qual Sam? — Pensei que ela estivesse falando de outra pessoa, outro amigo, que eu ainda não conhecia.

— Você conhece Sam Roberts? Do nosso grupo de estudos? Eu conheci o namorado dele no sábado passado.

— O quê? Ele é homossexual? Mesmo? Isso é nojento!

Minha voz saiu alta e todos ficaram quietos. Eu não sabia o que dissera de errado. Alguém riu do outro lado da sala.

— O quê? Você é homofóbica? — perguntou Daisy, perplexa. Eu não sabia o que era isso e olhei para Samara esperando por uma explicação.

— Você odeia gays? — disse ela, fixando os olhos nos outros.

— Eles são sujos, não são? Tipo, sabe, o que eles fazem é completamente errado. É pecado. — Eu ouvira meu pai dizer aquilo. Eu não atentava muito ao que ele dizia, mas captara aquilo. Eu deveria ter tomado cuidado antes de repetir as coisas que ouvira na igreja ou de meu pai à mesa, mas as palavras saíram antes que eu pudesse me lembrar de manter a boca fechada. Vasculhei a sala procurando por Rebecca, para saber se ela me ouvira, esperando que me tirasse da enrascada, mas, como estávamos na escola, isso significava que estávamos separadas.

— Meu Deus! De que planeta você veio? — Daisy zombava de mim. Ela sacudia a cabeça e me fitava com o mesmo olhar que lançava aos que eram estranhos ou estúpidos ou feios. Eu ri e busquei os olhos dela.

— Ó meu Deus! Era só uma brincadeira! — gritei. — É claro que não odeio gays! Eu só estava brincando!

Ninguém parecia convencido.

— É claro que eu sei que Sam é gay, ele mesmo me contou. O namorado dele é mesmo bonito, então?

Samara acenou com a cabeça e me ajudou a sair da situação, descrevendo o rapaz, e eu soltei uns *ah* e *oh* e respirei aliviada enquanto minhas bochechas voltavam à cor natural. Eu segurei a língua dentro da boca pelo restante do dia e fiquei observando se estavam cochichando sobre mim. Fui especialmente simpática com Sam, querendo me assegurar de que todos me vissem falando com ele. Eu ainda não estava certa de que Daisy esquecera o que eu dissera, mas empurrei tudo isso para o fundo da minha cabeça junto com um monte de outras coisas com que não estava lidando no momento.

Eu gostava mesmo de Sam. Não estava fingindo. Ele era o oposto do mal. Mais uma coisa sobre a qual o pastor Roderick Kinsman estava errado.

De agora em diante eu pensaria antes de falar. Copiaria o que os outros faziam e diziam e me misturaria.

Craig cabulara algumas aulas. Eu não me atrevia, mas, sendo sua namorada, eu precisava experimentar. Eu não conseguira escapar da casa paroquial apenas para permanecer sentada numa sala de aula o dia inteiro e ficar superentediada. Até mesmo Rebecca odiava aquilo, mas o que ela queria nunca vinha em primeiro lugar. Eu não sabia o que ela queria, tampouco imaginava como ela faria para escapar deles. Rebecca deveria estar me agradecendo em vez de ficar me ignorando. Eu fizera meu melhor, mas ela era muito mal-humorada. Bem, eu tinha novos amigos, então por que ligar para ela?

Naquela noite iríamos ao pub. Eu conseguira pegar uma nota de 5 libras na bolsa da Mãe. Ela não disse nada, mas deve ter percebido porque era o único dinheiro que havia em sua bolsa. Craig me deu minha identidade falsa. Isso era tão legal. Vou me encontrar com Daisy, para nos arrumarmos, e ela disse que me emprestaria sua calça jeans nova da Topshop. Nós usávamos o mesmo tamanho, e eu tinha uma blusa preta que poderia usar com o jeans. Eu a encontrara no fundo de uma das sacolas de roupas entregues para caridade e a lavei durante a noite na pia do banheiro, quando tinha certeza de que todos estavam dormindo. Tudo tinha de estar certo. Apenas a logística para sair de casa era um pouco preocupante, mas eu supunha que, se fingisse uma dor de cabeça e saísse de fininho, ninguém notaria. Rebecca não falava nada, e não falaria nada naquele momento também. Ele sempre gostou mais de bater nela.

Então chegou a noite. Eu tinha mesmo de achar um jeito de fazer Craig me notar. Apesar de Samara afirmar que ele realmente gostava de mim, eu achava difícil acreditar naquilo. Ele era tão legal. Meu estômago estava revirado, e eu não sabia se dava umas risadinhas ou vomitava. Para me assegurar de que Rebecca iria me ajudar, eu contei a ela sobre meu plano secreto. Eu sabia que ela não diria nada, mas pude ver seu ar de reprovação.

— Você me dá cobertura? Promete?

Ela confirmou com a cabeça e eu dei um rápido abraço nela. Eu sempre ficava um pouco chocada quando percebia o quão magra ela era. Pontas de ossos saltavam para fora de seus ombros e de sua coluna, e, se eu apertasse com força o suficiente, tenho certeza de que poderia agarrar um deles. Por um momento, sentei-me na cama dela e fiz um esforço.

— Olhe, vamos ser amigas de novo, Reb. Eu detesto ver você zangada comigo.

— Tudo bem, Hephzi — sussurrou ela. — Apenas tome cuidado, OK?

Eu assenti com a cabeça, saltei sobre ela e a arrastei para o jantar. Estava tão empolgada que não conseguia nem comer — não que a comida estivesse boa —, e pareceu mais convincente quando pedi licença e disse que estava com dor de estômago e de cabeça. O Pai me encarava e pude sentir seus olhos em minhas costas enquanto me dirigia para o quarto. Mas Rebecca me daria cobertura, eu podia confiar-lhe minha vida.

Eu corri todo o caminho até a casa da Daisy, então, quando cheguei lá, estava ofegante e suada. Não era lá muito charmoso, mas eu tinha um tempinho para resolver isso. Daisy riu quando viu meu estado, e eu não pude explicar, apenas ri também. Na verdade, enquanto nos arrumávamos, passamos a maior parte do tempo rindo. Eu comentei sobre quanto ela estava bonita, e então ela sorriu, e deduzi que me perdoara definitivamente pelo fora com Sam, pois ela arrumou meu cabelo, emprestou-me seu jeans e uma blusa, e, no fim das contas, a blusa da sacola para caridade nem foi usada. A que ela me emprestou era brilhante e tinha alças e realmente fazia parecer que eu tinha 18 anos. Dei um grande sorriso ao me ver no espelho, e Daisy sorriu de volta. Nós bebíamos enquanto nos aprontávamos, e eu me senti tonta, como se estivesse no carrossel que vem à cidade uma vez por ano. Nossa Tia Melissa me levou ali uma vez, mas, por alguma razão, não consigo me lembrar se Rebecca foi conosco. Eu devia ter mais ou menos uns quatro anos de idade e ainda me lembro da emoção, dos gritos de alegria quando os cavalos subiam e subiam como se fossem decolar e voar até o fundo daquela noite de verão. No entanto, houve uma discussão terrível depois disso e eu nunca mais fui a um parque. Tia Melissa também não vem mais nos visitar.

Quando saíamos da casa de Daisy e seguíamos para o ponto de ônibus, ela teve de segurar meu braço por causa dos sapatos de salto alto que me emprestara. Eu estava me segurando para não passar mal. Se isso acontecesse, arruinaria tudo. Eu achava que não era nada legal vomitar em lugar nenhum, mas, como nunca bebera álcool antes, não imaginava que uma coisa dessas pudesse acontecer. Eu conhecia o estado do meu pai quando ele bebia, o rosto e os olhos vermelhos, o andar cambaleante, mas, quando Daisy me deu uma bebida espumante, o gosto era bom, doce e viscoso, e nem imaginei que ficaria bêbada tão rapidamente.

Daisy me dissera para ficar sóbria no ônibus e tentei fazer o meu melhor, mas, quando desembarcamos no bairro seguinte, eu tive de vomitar em frente a uma cerca. Espero que ninguém do colégio tenha visto. Foi bastante vergonhoso. Meu estômago se revirava, e expeli outro jato, mas tudo que pus para fora foi um líquido quente e bile verde. Tremendo, recostei-me no ponto de ônibus, com um fio de suor escorrendo de minha testa e de meu lábio superior. Daisy olhava para o relógio.

— Vamos! Todos já devem estar lá a esta hora.

Havia um DJ no pub naquela noite e aparentemente ele era bom. Eu não sabia muito, mas Daisy não queria perder nem mais um segundo, então eu tive de segui-la, cambaleando, sentindo-me estúpida e, de certa forma, querendo ir para casa. Eu não lhe disse isso, ela já estava suficientemente irritada comigo. Caminhamos até o pub, fazendo o possível para aparentarmos ter mais de 18 anos. Uma multidão de fumantes estava reunida do lado de fora e eu desviava o olhar rápido para não estabelecer contato visual com eles, no entanto, estava curiosa. Craig estava numa das mesas, esparramado como um gato descansando ao sol do fim da tarde. Meu coração ribombava e pulava, a sensação que tive no carrossel voltou e eu estava quase levantando voo de tanta euforia. Daisy chamava Craig com uma voz sedutora — eu a conhecia e sabia que estava fazendo charme —, e ele levantou a mão lânguida em nossa direção, com um cigarro pendendo de sua boca e a sobrancelha levantada, numa expressão *blasé*.

Quando entramos, fui direto para o banheiro tentar retocar minha maquiagem com o que tinha na bolsa. Eu roubara um gloss numa drogaria e encontrara uma sombra numa das gavetas de minha Mãe. Não consigo nem mesmo imaginá-la usando maquiagem, deve ser muito antiga. "Mulheres que usam maquiagem são prostitutas", era isso que ela dizia, então talvez a sombra nem lhe pertencesse. Ou talvez usasse vez ou outra, quando eram apenas ela e Roderick. Eu sei que ele gostava dessas coisas apesar de nunca admitir. Eu vira as fotos secretas dele. Samara veio me encontrar no banheiro. Ela me emprestou um pouco de perfume e me deu um abraço. Daisy lhe contara tudo o que acontecera.

— Pobrezinha! Eu também sempre passo mal — disse, rindo. — Faz parte da diversão. Pelo menos você melhorou rápido.

Samara me contou que seus pais não sabiam que ela bebia e por isso tinha de ser cautelosa ou seria punida para sempre. Concordei com a cabeça, dando-me conta de que tinha muito mais em comum com Samara do que com os outros. A mãe e o pai dela pareciam rigorosos demais, não como os meus, mas também bastante difíceis.

Nós compramos Coca-Cola e encontramos um lugar para sentar. Daisy estava conversando com Craig, mas eu não fui encontrá-los. Em vez disso, Samara e eu ficamos em um canto fofocando e cochichando sobre Daisy, e ela me contou que Daisy sempre gostou de Craig. Meu coração se entristeceu. Daisy era a garota mais bonita no pub, com seus longos e lindos cabelos loiros caindo-lhe pelos ombros, os quais ela chacoalhava enquanto ria e flertava. Nós a observamos em silêncio por um momento e eu suspirei e olhei para minha Coca-Cola. Eu tinha de fazer a Coca-Cola durar até o fim da noite. Depois da passagem de ônibus e da bebida, só me restavam 60 centavos na bolsa. Juntara aquele dinheiro durante toda a semana anterior, economizando um pouco aqui, um pouco ali, e, na quinta-feira, eu encontrei uma moeda de uma libra no chão da escola. Espero que ninguém tenha me visto pegá-la. O pub estava muito escuro e as pessoas dançavam, então Samara me cutucou para que eu olhasse para cima. Daisy e Craig estavam na pista de dança. Ela fazia de tudo para chamar a atenção dele, e Craig parecia estar gostando daquilo.

— Daisy é vulgar demais! — soltou Samara. Eu assenti com a cabeça. Estava pensando no que o meu professor de Matemática me falara sobre uma curva ascendente de aprendizado.

Alguns jovens da escola vieram sentar-se conosco e nós rimos e conversamos por um tempo, contudo, meu coração não estava ali. Às 22 horas eu disse que tinha de ir e caminhei para o ponto de ônibus. Daisy sumira, assim como Craig. Samara apenas acenou um tchau para mim e, em seguida, voltou-se para seus outros amigos, muito ocupada e entretida para ficar incomodada com o fato de eu ir ou não ir embora.

Estava muito frio e escuro na rua, e eu estava com medo. Chorei um pouco e esperei pelo ônibus. Quando ele chegou, não consegui encontrar meu bilhete, e o motorista pareceu querer me jogar para fora, até que sua expressão se suavizou e ele me deixou entrar sem pagar. Sentada na parte da frente do ônibus, inclinei minha cabeça contra a fria janela e senti o ar quente soprando em meus tornozelos. Agora eu só tinha de conseguir entrar em casa.

Rebecca

Depois

Decidi preencher o formulário de inscrição para o curso de verão. A princípio, era só para ver como era. Eu não conseguia parar de me perguntar como seria, afinal, quando deitava em minha cama, sem Hephzi para conversar ou um livro para ler, eu tinha de encontrar algo para fazer. Mas, na minha imaginação, não era eu quem estava sentada naquele gramado na foto, era Hephzi. Eu nunca poderia estar numa foto como aquela. Vovó dizia que não importava, mas eu sei que importa; ninguém quer olhar para uma garota como eu a não ser que seja para encarar e rir. Meus olhos tortos. Quando como ou durmo é difícil respirar. Nasci sem orelhas e com um rosto muito longo. Vovó me dissera havia um tempão que era por causa de uma síndrome chamada de Treacher Collins. Eu acho que os Pais nem sequer se preocuparam em descobrir o que isso significava; para eles era apenas um motivo para me odiarem. Sei que isso significa que eu nunca serei bonita como Hephz.

Ela fora feita para estar no folheto, teria combinado tão bem com ele, seus longos e brilhantes cabelos castanho-claros, seu sorriso perfeito e seus olhos bem abertos. Com certeza, eles desejariam que ela estivesse na fotografia. Imagino-a se levantando após a foto ter sido tirada, balançando sua mochila presa aos ombros e saindo sob a luz do sol para então navegar num pequeno barco no rio e depois fazer um piquenique na grama, ou talvez ir ao teatro, a um café, a uma sorveteria, onde conversaria sobre a intensidade dramática da peça ou a excelente caracterização ou algo do tipo. Exceto que nada seria assim, pois

Hephzi não era assim. Na verdade, o mais provável é que ela ficasse procurando pela festa mais próxima, sorrindo para um menino de que tenha gostado dela e se esquecendo de fazer a lição de casa. Perdi as contas de quantas vezes ela copiou as minhas respostas, mas nunca me importei. Eu teria feito qualquer coisa por Hephzi. Era difícil aceitar que ela fora embora. Num minuto, viva, no outro, morta. Às vezes, antes de ir dormir, eu vestia o pijama dela e me deitava no colchão com manchas cor de ferrugem para ver se a pele dela se encaixava em minhas formas. Mas isso nunca pareceu certo.

— Hephzi, o que você acha? — murmurei baixinho. A Sra. Larkin deixara uma janela aberta e uma rajada de vento virou as páginas exatamente quando falei isso. Perguntei-me se poderia ser um sinal...

Ela não respondeu, mas ainda assim preenchi o formulário com meus dados: nome, endereço, escola. Foi bastante fácil. A Sra. Larkin pegou o formulário e balançou a cabeça em aprovação. Não me arrisquei a falar que estava apenas preenchendo por diversão, como se fosse parte de um jogo que eu estava jogando em minha cabeça. Ela teria pensado que eu era louca. Coloquei o formulário de volta no meu armário, pronta para outro dia. Um fragmento do futuro.

Fevereiro chegou. Minha irmã morrera havia mais de um mês. Ninguém parecia lembrar-se mais dela. Mesmo quando me atrevia a fazer o desvio perto da casa de Craig, escondendo-me nas sombras da rua, procurando por sinais dela, vendo se conseguia evocá-la, eu não encontrava nenhuma evidência de que alguém ainda se preocupava com ela. E era óbvio que Craig não estava triste. Ele nunca a amara. Ele a usara e jogara fora. Isso é o que os homens fazem com as mulheres, mesmo os pais com as filhas. Hephzi deveria ter visto tudo o que viria a seguir... Se ela tivesse aberto os olhos, teria sabido como seria.

Na escola haveria o que chamavam de simulado. Na verdade, era uma pegadinha. Quando eles colocaram os papéis virados para baixo nas carteiras e eu vi os outros alunos curvando a cabeça e começando a rabiscar, finalmente compreendi o que era esperado e tentei ler as perguntas. Mas era inútil, eu estava destinada a falhar em todos os testes, estava destinada a provar que o Pai estava certo. As perguntas eram incompreensíveis; toda a lição de casa que eu fizera, todas as anotações que tomara, tudo fora mera perda de tempo. Não que eu não estivesse me esforçando, mas é que as palavras começaram a dançar na frente dos meus olhos, os números piscavam e se retorciam em arpejos ao longo da página. Eu não conseguia fazer nada. Alguém percebeu, aproximou-se e perguntou se estava tudo bem. Balancei a cabeça afirmativamente, escondendo-me atrás do cabelo que pendia em ambos os lados do meu rosto e enxuguei as bochechas com a manga da blusa. Logo em seguida, o professor me perguntou se estava tudo OK e disse que a escola entendia como estava sendo difícil para mim e que levaria isso em consideração. Assenti novamente e ele se afastou. Como havia exames, significava que não haveria aula depois. Eu poderia me sentar na biblioteca pelo dia todo se quisesse, e ninguém jamais saberia.

Em vez de me preocupar com o que o Pai diria quando descobrisse que eu não respondera a uma pergunta sequer, mergulhei em *Grandes Esperanças*[2]. Eu estava avançando na Letra D, e Dickens era maravilhoso. Eu me perguntava se poderia contrabandeá-lo para casa; talvez eu pudesse escondê-lo num lugar bem seguro, como a cama de Hephzi, certamente eles não olhariam ali. Então eu poderia ficar a noite toda acordada lendo esse livro incrível. Eu estava na passagem em que Pip diz a Estella quanto ele a ama e que ela será sempre parte dele: parte do bem e parte do mal. Parte da própria existência, não importando qual. As palavras me fizeram chorar e minhas lágrimas se derramavam sobre as páginas. A garota à minha frente lia *Crepúsculo*

---

[2] Obra de Charles Dickens, publicada em 1861. (N.E.)

e não tirava os olhos de mim. Hephzi teria adorado, e eu lia e relia, decorando a página para recitar-lhe quando ela voltasse. A imagem do curso de verão reluzia em minha cabeça e pensei que, se eu fosse para lá, teria talvez um quarto num daqueles prédios retratados no folheto, um quarto apenas para mim, sem ninguém nas paredes, e poderia ler o que bem entendesse e descobrir tudo que sempre quisera saber. Fui até a Sra. Larkin.

— O curso de verão... Como eu pagaria?

Ela tirou os olhos do computador, surpresa.

— Bem, você terá de conversar com seus pais, querida. Ver se eles podem encontrar um jeito. Certamente eles sabem quanto você ama ler, não é?

Ela murchou, ao ver meu rosto.

Então eu balbuciei:

— Eu não consegui fazer as provas.

— Não? — Sua voz era gentil, e seus olhos, preocupados por trás dos óculos.

— Então acho que não poderei ir. Não é?

— Fale com seus professores, Rebecca. Tenho certeza de que pode haver uma solução.

Ela parecia um pouco desesperada. Acho que ela geralmente não tem de lidar com esse tipo de coisa, apenas tem de se preocupar com livros atrasados ou alunos se agarrando entre as estantes, na seção de obras de referência.

— Desculpe.

— Tudo bem. Sinta-se à vontade para conversar comigo a qualquer momento, Rebecca.

Percebi que alguém como a Sra. Larkin não ia resolver nada e que uma das cartas que eu estava usando para construir meu frágil castelinho caíra melancolicamente no chão. Eu teria de esquecer isso por enquanto. Coloquei *Grandes Esperanças* na mesa dela e senti seus olhos me acompanharem, o fantasma de sua preocupação seguindo-me, inútil como o véu de casamento da Srta. Havisham.[3]

Aquele fim de semana era de negócios, como de costume. Passei o sábado ajudando a Mãe a limpar a igreja. Era um prédio grande e velho. Com uma arquitetura incomum, diziam os visitantes mais admirativos. Para mim, era uma dor no pescoço. E nos braços, ombros e pernas. Eu esfregara as pedras frias e polira os bancos tantas vezes e com tal força que conhecia todas as fissuras, todas as rachaduras e todos os nós da madeira. Trabalhávamos silenciosamente e eu transpirava, parando para descansar quando ela não estava olhando. Por isso eu estava mais lenta que de costume. A Mãe teve de me ajudar a terminar para que acabássemos a tempo. Ela o fez sem sorrir, assim eu podia saber que ela não estava fazendo por mim, mas apenas para nos livrar de uma briga. As coisas tinham de estar prontas para as vésperas ou haveria problemas depois.

Enquanto eu assistia ao serviço, olhava o Pai, digno em sua batina, sobrepeliz e estola. A maioria das pessoas o achava bonito, embora não ousasse dizer que se podia ver a quem Hephzi puxara na aparência. A Mãe e eu interpretávamos isso como um sinal para nos encolhermos mais um pouco e deixá-lo brilhar. Eram assim. Hephzi e ele. O corajoso e a linda. Mas toda rosa precisa dos seus espinhos. Quando éramos mais jovens e ele estava de bom humor, fazia piadas, e nós tínhamos de rir.

— Rebecca, deveríamos colocar uma placa em volta do seu pescoço. Uma libra por olhada. Ao final do dia, eu seria milionário.

Ou então ele zombava.

— O que você quer de Natal, Rebecca? Um rosto novo?

---

[3] Referência à personagem do livro *Grandes Esperanças*, uma mulher solteira de meia-idade que vive numa mansão decadente. (N.E.)

Pelo menos isso serviu para que eu me tornasse praticamente imune aos insultos dos outros. A minha presença o ofendia e ele sempre me fez saber disso. E a Mãe, a mulher que me dera à luz, nunca dissera nada. Ela e Hephzi eram obrigadas a achar graça e sorrir enquanto eu recuava mais alguns passos, deixando meu cabelo recobrir o rosto, derretendo nas paredes, um fantasma de filha.

A caminho da igreja, um cartaz chamou minha atenção. Não fora eu que colocara o pôster, então certamente um zelador o levara até ali, talvez a Sra. Sparks. O cartaz anunciava um acampamento de verão da igreja para adolescentes. Os mesmos rostos sorridentes do folheto que ainda estava escondido em meu armário na escola, mas dessa vez pulando com os braços levantados para o ar, suas camisetas estampadas com sábias palavras evangelizadoras. As datas coincidiam. Eu pensei a respeito, vi a semente de um plano, e a ideia começou a crescer. Poderia ser o álibi perfeito e talvez funcionasse, só me faltava a coragem para fazer acontecer. Se eu pudesse lhes dizer que iria a um lugar e depois acabar em outro, teria exatamente o que queria. Para minha irmã também. Fugir era tudo que Hephzi sempre quis; se eu pudesse nos tirar da casa paroquial e ir ao curso de verão, ela estaria livre. Então eu a deixaria ir, cortaria os últimos laços em meu coração, e a brisa a levaria para as nuvens onde, finalmente, ela voaria.

Eu estava certa. Hephzi não partira, ainda não, não completamente. Eu ainda a chamava, eu não desistira e, no final, ela começou a responder. Hephzi está cochichando ao meu ouvido neste momento e me dizendo para não contar a ninguém sobre isso. Ela me diz que todos vão pensar que estou louca. E que, se eu precisar dela, ela virá, mesmo que eu não possa evitar que ela seja má às vezes.

Esperei até o domingo à noite, novamente a carne dura e seca e alguns vegetais flácidos se aglutinavam como pedras em meu estômago. Ele vinha bebendo frequentemente: com os deveres do fim de semana cumpridos, ele agora ia aproveitar. A Mãe estava lavando a louça, e eu, ajudando. Enquanto eu limpava a mesa, o trapo impregnava minha mão com um odor rançoso, e fiz minha primeira jogada.

— Mãe, você viu o anúncio na igreja? O acampamento de verão? Para jovens?

— Não.

Respirei profundamente.

— É no fim de julho. Eu não estarei na escola. Você acha que daria para eu ir?

Ela não respondeu, apenas esfregou a panela um pouco mais freneticamente. Eu nunca pedira nada, não por anos, e agora ela não sabia como reagir. Hephzi tinha certo talento para pedir coisas à Mãe; ela acertava onde eu errava, como na vez em que persuadiu a Mãe a deixá-la ir ao parque de diversões com Tia Melissa, ou a vez em que suplicou para que saíssemos em nosso aniversário de 12 anos.

Finalmente ela respondeu:

— Terei de conversar com seu pai.

— Ah! — Deixei minha decepção flutuando no ar, amarga e pesada. Ela se afastou da pia, pegou um saco de lixo e saiu na noite fria. Eu a segui até a lixeira. Estava tão escuro que ela não podia me ver, então, estiquei-me para alcançá-la e tocar-lhe a manga. Ela congelou.

— Por favor, Mãe. Eu realmente quero ir. Sem a Hephzi, sinto-me só...

Não sabendo como ela reagiria a isso, fiquei satisfeita por não ver seu rosto. Não me era permitido ter sentimentos, especialmente em relação a Hephzi, e a escuridão entre nós escondia nosso medo mútuo. Se ela admitisse que eu era humana, teria de me ajudar. A Mãe sabia que devia me ajudar. Fora ela quem me encontrara no banheiro quando eu tinha 13 anos, ela ficou me observando enquanto eu limpava o sangue e a bagunça e me fez jurar não contar a ninguém. Ela disse que, se eu contasse, as pessoas saberiam quão má eu realmente era. Então enterrei a verdade no meu quarto, escondi-a atrás da parede, mas ela chora à noite, ela chora e sofre e pede amor. Todos pedem.

— Deixe-me pensar a respeito. Vou ver.

Isso já era o suficiente para mim. Subi as escadas rapidamente, vesti meu pijama, arrastei a cama de Hephzi para sua posição, barricando-me. Deitei-me por um bom tempo, sem estar cansada, pensando em como fazer meu plano funcionar. O dinheiro era o ponto central. Eram 250 libras. Eu não tinha esse dinheiro, nem ninguém que eu conhecia tinha. A menos que encontrasse uma fada madrinha, Cinderela não iria ao baile.

Meus professores estavam tranquilos em relação aos exames. Deixaram-me refazê-los eu me saí um pouco melhor e redigiram um relatório quase decente sobre mim. No entanto, o Pai ainda girava num turbilhão de raiva, borbulhando na mais luminosa indignação. Sua ira explodiu como uma bomba, pois eu provara que ele estava certo o tempo todo, ele disse. Até onde ele sabia, educar uma menina como eu era um desperdício de esforço, e ele só continuara a fazê-lo pelas aparências. Agora que fora provado que eu era uma retardada, ele podia me tirar da escola e arranjar alguma coisa útil para eu fazer. Havia muito trabalho a ser feito na casa paroquial.

— Por favor. Dê-me mais uma chance.

Ele me olhava, surpreso por eu ter falado em minha defesa e por ter ousado demonstrar uma vontade. Seus lábios se retorceram e seu sorriso sarcástico derrubou meu olhar novamente.

— Para quê? Para provar o que todos já sabemos? Você nunca será nada além de um monstro, uma aberração. Mas eu lhe darei mais cinco meses e a oportunidade de mostrar ao mundo quão patética você realmente é. Quando você falhar nas provas de verão, verá então que eu estou certo. E ninguém vai poder dizer que não lhe dei todas as chances.

Segurei a respiração até poder escapar para o andar de cima e então a soltei com grande alívio. Se ele tivesse me tirado da escola, teria sido o fim; eu precisava escapar, eu precisava dos exames. Concluí que a Mãe ainda não mencionara o acampamento de verão. Se o tivesse feito, ele teria trazido isso à tona e seria mais um motivo para me ridicularizar e me diminuir. A ausência de Hephzi me acertou novamente como um soco no estômago. Se ela ainda estivesse viva, eu teria me saído melhor nos exames, eu a teria para conversar e me dar esperança.

— Não seja patética! — diz ela. Mas lhe respondo que é verdade.

Ela estava se afastando cada vez mais de mim, eu sabia disso, mas poderia trazê-la de volta e fazê-la se lembrar de quanto precisava de mim, de quanto precisávamos uma da outra. E ela precisava de mim. Ela precisava que eu a ajudasse com sua lição de casa, que eu a encobrisse, que eu mentisse por ela, que eu a apoiasse. E eu precisava dela por todos os motivos do mundo. Foi a história com Craig que abalou nosso relacionamento, e eu estava contente por nunca ter tido de conversar com ele novamente, apesar de passar perto de sua casa e observá-la às vezes. De certo modo, tudo era culpa dele.

Eles se conheceram no primeiro dia. Eu estava na sala de aula durante a hora do almoço, não querendo enfrentar a cantina e todos os novos olhares, os risos reprimidos, os olhares de horror. Hephzi fora sem mim, ela disse que traria algo e eu esperei durante todo o horário de almoço por seu retorno, folheando o livro de Matemática e olhando pela janela. Eu ainda não descobrira a biblioteca e estava pensando que dois anos daquilo seriam quase tão ruins quanto mais dois anos na casa paroquial tentando ser invisível. Eu estava cansada, assolada por pesadelos, e descansei minha cabeça na mesa. Quando Hephzi entrou na sala com um monte de gente, eu estava quase dormindo, então olhei para cima, nossos olhares se encontraram, e ela me ignorou, voltando-se para o grupo, no qual estava Craig.

Ela não ficou mais comigo depois disso. Sempre tinha alguém com quem se sentar em todas as nossas aulas, e ela passava os intervalos e horários de almoço com Craig, desaparecendo com ele e reaparecendo só quase no final. Comecei a odiá-lo. Ele nem sabia que eu estava viva.

Depois do desastre nos exames e do relatório escolar, enfiei minha cabeça nos livros e estudei ainda mais. Eu não podia me dar ao luxo de falhar novamente, e o Pai dissera que iria às reuniões de pais e mestres para saber o que eu estava tramando. Não seria antes de abril, então eu teria tempo para ganhar alguns créditos. Também precisava começar a ganhar dinheiro. No caminho da escola para casa verifiquei o quadro de avisos da loja da esquina. O cheiro era estranho, pão velho e camundongos, e o proprietário estava sentado e lia um tabloide qualquer com a barriga encostada no balcão. Era aqui que Hephzi e eu fazíamos as compras de casa, e uma ou duas vezes ele nos dera pirulito, e nós rapidamente enfiamos na boca e mastigamos aqueles pedaços açucarados e pegajosos antes que nos sujássemos. Eu perguntara à Sra. Larkin sobre a possibilidade de trabalhar na biblioteca, mas ela, infelizmente, apenas sinalizou com a cabeça que não havia como e me disse para dar uma olhada no quadro de avisos da loja, e foi isso que fiz. Não havia muita coisa para ver. Alguém queria uma faxineira, mas para trabalhar no horário em que eu deveria estar no colégio, e outra pessoa estava procurando um pedreiro, o que me deixava de fora também. O cara atrás do balcão me viu olhando.

— Está tudo bem, querida?

Eu balancei a cabeça. Não queria explicar tudo para ele.

— Você está procurando alguma coisa em particular?

— Não. Está tudo bem, obrigada.

— Se você precisa de trabalho eu tenho algo para você aqui. — Ele me olhou de cima a baixo. — Você é a filha do pastor, não é? Você é a única das gêmeas agora, não é? O que aconteceu?

Dei de ombros e olhei para o chão.

— Fofoqueiro! — sussurrou-me Hephzi. — Diga a ele que tome conta de seu negócio. — Mas eu sabia que ele estava apenas comentando o que todos estavam pensando. Todos sabiam sobre a morte de Hephzi. O modo como ocorrera era um segredo sujo da minha família.

— Ela sofreu um acidente.

— Terrível isso. — Ele parou de falar e eu me dirigi para a porta, querendo que a conversa terminasse.

— Bem, se você quiser um trabalho distribuindo panfletos da loja depois da escola, me procure, pois tenho uma vaga — falou ele enquanto eu saía apressada.

— Obrigada. — Nem me atrevi a perguntar o salário, mas tinha certeza de que não devia ser muito. No entanto, ao sair da loja me senti um pouco mais alegre. Eu estava voltando à casa paroquial com mais do que eu tinha naquela manhã: uma oferta de emprego e o livro *Middlemarch*[4] na bolsa. Decidi assumir o risco e levar o livro para casa. Se Hephzi podia sair se esgueirando, noite após noite, para encontros clandestinos com seu namorado, eu poderia ao menos arriscar-me a ler debaixo das cobertas. E mesmo que o Pai achasse o livro, duvido que ele pudesse encontrar qualquer coisa nele do que reclamar. Não sei por que ele pensava que livros podiam nos corromper. Em alguns de seus sermões, ele pregou sobre os males da leitura, especialmente da boa leitura. Eu vi a mudança na fisionomia da congregação. Alguns não concordavam com o que ele estava dizendo, mas os loucos balançavam a cabeça e agiam de acordo com suas palavras. Eram o tipo de pessoa que bania Mickey Mouse, que jogava no lixo convites para festas, que via algo satânico em esculpir uma abóbora no Halloween. Eram pais como Hephzi e eu tínhamos. Loucos que se vestiam com roupas normais, que sorriam e angariavam dinheiro para a caridade,

[4] *Middlemarch — um Estudo da Vida na Província*, escrito entre 1869 e 1871 por George Eliot, pseudônimo de Mary Ann Evans, faz uma análise do império britânico nos anos difíceis que precederam o reinado vitoriano. (N.T.)

malucos que ficavam de joelhos para rezar, mas que, tão logo estivessem seguros atrás de portas fechadas, tiravam as máscaras e deixavam o veneno irromper.

Vovó adquirira os primeiros livros de Harry Potter num bazar beneficente perto de onde ela morava e eu os devorei, lendo durante toda a noite debaixo das cobertas, sabendo que não poderia levá-los para minha casa e incapaz de lidar com a ideia de ir embora sem tê-los lido até o fim. Mas eu nunca trairia a Vovó, nunca falaria sobre o que ela nos permitia fazer — se o Pai soubesse de apenas metade do que ela nos deixava fazer, ele a desenterraria e a mataria novamente. Sei que ele faria isso mesmo que ninguém mais pensasse assim — ele odiava Vovó, e ela tinha de pagar.

Contudo, aprendi muito com ela, e, se algum dia tiver filhos, sei como vou criá-los: seguros, felizes e livres. Vou convidar os amigos de meus filhos para comer pizza, batata frita e biscoitos caseiros. Faremos guerras de bolas de neve no inverno e mergulharemos numa piscina no quintal durante o verão, quando estiver quente. Vou comprar presentes para eles e dizer-lhes como são maravilhosos. Vamos ter um cachorrinho e ir à Disneylândia passar férias. Vou dizer-lhes que os amo e que são perfeitos, bonitos e únicos. É isso que farei se algum dia eu tiver a chance. Meus filhos nunca vão chorar durante a noite ou ficar tremendo na cama com medo do que possa haver na escuridão.

Aceitei o trabalho, mas não contei aos Pais. Disse apenas que estaria na escola durante a tarde para aulas extras de Matemática. Matemática era o meu ponto fraco, ou talvez fosse Física. Não importa. Eles não gostaram, mas, contanto que eu fizesse minhas tarefas quando voltasse e me mantivesse fora de seu caminho, eles me deixariam viver a mentira. Eu usava um chapéu puxado para baixo, sobre a testa, e vagava pelas ruas com uma pesada sacola cheia de folhetos duas vezes por semana. A sacola pesava uma tonelada e eu muitas vezes me sentia fraca, cansada e faminta, mas perseverava. Eles pagavam 10 libras por semana. Eu sabia que teria apenas o suficiente para pagar o curso de verão, mas enviara o formulário de candidatura independentemente de qualquer coisa, pois confiava que de alguma maneira, de algum modo, algo iria dar certo, e a Mãe acabaria por convencer o Pai a deixar-me ir para o acampamento da igreja. Eu acho que estava sendo estúpida por acreditar que eles nunca me pegariam, estúpida por pensar que ninguém me veria e contaria a eles. Afinal, no quesito aparência, sou do tipo inesquecível.

Economizei 40 libras antes de eles descobrirem. Quinta-feira à noite era dia de entrega e terminei minha ronda lá pelas 18h30. Estava demorando mais para escurecer, e, ao mesmo tempo que o vento de março espalhava o lixo nas ruas e agitava os papéis em minhas mãos, a tarefa geralmente interminável de enfiar papéis nas caixas de correio que prendiam meus dedos como uma ratoeira parecia tão ruim quanto o habitual. Eu estava ansiosa para colocar mais uma nota de 10 libras no meu esconderijo e para ir para a cama com meu livro, mantendo meus segredos a salvo. Eu conversava com Hephzi enquanto caminhava pelo bairro, contando-lhe do curso e pedindo-lhe ideias sobre como obter dinheiro suficiente a tempo. Ela me aconselhou a roubar os Pais, entrando sorrateiramente no quarto deles e esvaziando a carteira do Pai enquanto ele estava dormindo ou superbêbado. Eu gritei com ela.

É muito arriscado, Hephzi, e se ele me pegar? O que eu faço?

De que outra forma você vai fazer isso, sua idiota? Você tem de ir embora.

Discutimos assim por todo o caminho e ela quase me convenceu quando eu estava voltando. Por causa dela, caminhei pela estrada até a casa de Craig na volta para casa e fiz uma pausa para ver se podíamos avistá-lo. Eu não gostava mais de fazer isso, tinha medo de que alguém me entregasse por eu ir até lá frequentemente, mas sentia pena de Hephzi. Agora ela precisava de mim para ter sua vida social, e, sinceramente, eu não era muito boa nisso. Eu passara um tempo agradável com ela, mas ela desapareceu assim que viu o Pai fora da casa paroquial, de braços cruzados. Eu sabia que ele estava esperando por mim.

Ele beliscou a parte de trás de meu pescoço e me empurrou para dentro de casa. A uma distância que ninguém que passasse notaria sua mão em mim, ninguém jamais veria a marca embaixo de meu cabelo.

— Onde você estava?

— Na escola. — As palavras saíram como um sussurro, e eu sabia que minha mentira não convenceria ninguém. Ele me levantou pelos cabelos e me jogou contra a parede. Minha cabeça se cortou no antigo espelho que ficava pendurado e caí, batendo dolorosamente o ombro.

— Não minta para mim — ameaçou ele, com o punho cerrado. Senti cheiro de uísque em seu hálito, vi seus olhos e bochechas vermelhos. Agachada, com os braços dele sobre a minha cabeça, eu esperava o próximo golpe.

— Onde você estava? — perguntou novamente. — Diga a verdade!

— Na casa de um amigo.

— Mentirosa! — gritou, e eu me preparei para os golpes.

Eu não deveria ter me preocupado com a resposta. Ele sabia que eu não tinha amigos e sabia tudo sobre meu trabalho, um dos fofoqueiros locais deve ter me visto e plantado a semente, e minhas patéticas tentativas de me manter longe de problemas encontraram a força de sua ira, afogadas, rodopiando, pegas por uma onda essencial em seu poder. Eu só podia esperar a onda me atingir e acreditar que conseguiria subir para respirar. Quando ele terminou, rastejei até as escadas. Ele me batera em todos os lugares nos quais hematomas podem ser facilmente escondidos: o torso, a parte de cima dos braços, peito, nádegas e coxas. E ele sabia que eu não gritaria. A casa toda ficou em silêncio, quase como num balé, a dança era tão familiar que eu sabia a melhor forma de agachar e mover apenas um ombro para desviar um golpe dirigido aos seios, mas, acima de tudo, sabia como segurar as lágrimas. Pelo menos dessa vez ele não usara a cinta. Hephzi sempre disse que iria escondê-la e talvez esse tenha sido seu último presente para mim.

Antes disso, ele revirara meu quarto e encontrara o dinheiro que eu guardara, escondido sob o colchão de Hephzi. Também pegara a nota de 10 libras de hoje e tirara o livro de poesia de Eliot de minha bolsa, moendo-o no chão com o pé, só para ter certeza de que eu aprendera a lição. Rastejei até debaixo de minha cama, tremendo, e comecei a cantarolar uma melodia calma, bem no fundo da garganta. Se eu enchesse a cabeça com aquele ruído, não me lembraria de mais nada e poderia expulsar a dor e me tornar invisível. Ele havia acertado uma pancada em minha prótese auditiva, bem perto do parafuso preso na lateral do crânio, e eu estava feliz que tudo estivesse soando ainda mais abafado agora, como se eu estivesse nadando, submersa na água. Fiquei debaixo da cama com bolas de poeira e meias estranhas, e me imaginava me afogando. O tapete se dissolvia, e eu me deixava afundar, mais e mais profundamente, assim como Hephzi no dia em que morreu.

Hephzi

Antes

Finalmente cheguei em casa de volta do pub. Eu corri todo o caminho desde o ponto de ônibus até em casa e estava sem ar, mas Reb estava atenta e abriu a porta da frente para me deixar entrar, sem risco para nós duas, como ela me disse com sua voz mandona. Digo-lhe para calar a boca, e corremos até a cama rapidinho. Quando vi sua carranca, decidi não incomodá-la contando sobre minha horrível noite.

— O que você está vestindo? — perguntou ela, deixando a boca aberta, horrorizada, eu acho.

— São da Daisy. Por quê?

— Você está parecendo uma vagabunda.

— Cale a boca! Você está parecendo a Mãe.

— Não, não pareço. E você realmente está parecendo uma vadia. Admita!

Eu quase ri ao ouvir Reb dizer aquela palavra. Ela estava, enfim, aprendendo alguma coisa sobre ser normal.

— Não se atreva a rir! Você não percebe como tudo isso é arriscado?

Nossa discussão era sussurrada; Rebecca estava sentada em sua cama e eu tentava tirar a roupa rapidamente, antes que alguém entrasse e me pegasse no flagra. Escondi as roupas debaixo do colchão, meu coração ainda pulava por causa da corrida do ponto de ônibus até em casa e depois para subir as escadas às escondidas. Se ele tivesse me visto, eu provavelmente estaria quase morta agora.

— Eu não vou fazer isso de novo. — Rebecca não calava boca.

— Fazer o quê?

— Mentir para encobri-la. Sair me esgueirando para abrir a porta no meio da noite. Você vai ser pega e nós ficaremos muito encrencadas.

— Não seja tão idiota. Não aconteceu nada, certo? — Eu pulei na cama e puxei as cobertas até o nariz, a batida de meu coração ainda ressoando em meus ouvidos. Era tão bom estar de volta ao meu quarto. Nunca pensei que diria isso.

— De qualquer forma, como foi lá? — perguntou-me finalmente, em meio à escuridão silenciosa. Eu estava de olhos fechados, mas estava longe de estar com sono. Os acontecimentos da noite voltavam à minha mente como flashes de um filme louco e desconexo: eu vomitando, Daisy dançando com Craig, a volta de ônibus até em casa.

— Foi tudo bem.

— Apenas "tudo bem"? Tudo isso para um "tudo bem"?

— Ah, cale a boca! Cuide da sua vida! Venha comigo da próxima vez se você está tão interessada.

— Não, obrigada.

— E o que você vai fazer? Viver aqui o resto de sua vida com eles?

Ela demorou um longo tempo para responder, e então suas palavras me surpreenderam.

— De jeito nenhum. Eu vou sair daqui. Primeiro, preciso ir bem nas provas, e é isso. Eu vou embora.

Eu não conseguia acreditar que ela finalmente percebera que não poderíamos ficar daquele jeito para sempre. Já era hora mesmo. Eu nunca ouvira Rebecca falar daquele jeito antes; ela é a calma, uma pessoa sem opiniões ou ideias sobre o futuro. Eu sempre a conduzia, ela sempre me seguia, e eu lhe perguntava aonde ela pensava que iria e se seria capaz de ir.

— Eu vou aonde ninguém me conhece, onde eu possa encontrar um emprego.

— Sim, certo. E onde você vai morar?

— Vou encontrar um apartamento. Ou alugar um quarto.

— Só se for nos seus sonhos. — Não sei por que eu jogava um balde de água fria em suas esperanças, mas eu fazia isso. — Você nunca vai conseguir um emprego, Rebecca. Você é muito chata. Chata *e* feia. Quem vai querer olhar para você o dia todo?

Ela não respondeu e em seguida balbuciei um "sinto muito" e fiquei deitada acordada por um longo tempo, muito longo mesmo, observando-a lutar com algum demônio particular, o que a fazia chorar quase todas as noites.

Eu estava com medo de ir à escola na manhã de segunda-feira e, pela primeira vez desde o início das aulas, sentei-me ao lado de minha irmã. Eu rabiscava meu bloco de notas, evitando olhar para cima ou para os lados, caso todos estivessem rindo de mim. Rebecca era quieta demais, e, por um momento, acho que compreendo como ela se sente aqui quase todos os dias. Mas então ela me cutucou e eu olhei para cima. Craig estava em pé na frente da carteira e senti um rubor tomar minhas bochechas antes que eu pudesse fazer qualquer coisa a respeito disso.

— Tudo bem?

Concordei com a cabeça. Engoli em seco. Uma espécie de sorriso.

— O que aconteceu com você na noite de sexta-feira?

— Ah... É... Eu estava lá.

— Sim, mas você desapareceu.

Eu não respondi, só encolhi os ombros. Era a conversa mais longa que já tínhamos tido. Continuei esperando que ele fosse embora, mas ele não foi.

— Eu estava procurando por você. Nós todos fomos para uma boate em Chequers.

— Sério?

Eu realmente não sabia o que deveria dizer.

— Achei que você estaria lá.

— Ah. Sinto muito.

Ele encolheu os ombros, recolocou os fones de ouvido e saiu. Eu me voltei para Rebecca, que parecia nauseada. Eu a cutuquei de lado e ela prendeu a respiração e enterrou a cabeça no livro de Matemática.

Então, eu não estava acabada, bem, ainda não. Mesmo que Daisy tivesse contado sobre eu vomitar, talvez ele não se incomodasse. Ainda poderia haver uma chance. Passei o dia todo buscando-o com os olhos, mas ele deve ter cabulado aula de novo, pois eu não pude encontrá-lo em lugar nenhum.

Era meu sexto dia na escola. E eu já aprendera muito.

Aprendi a não parecer incomodada se um menino fala com você ou lhe sorri.

Aprendi um jeito de falar jovem, algumas gírias.

Sei usar um computador, ou praticamente isso, e como verificar meus e-mails e acessar minha conta no Facebook na sala de informática da escola.

Aprendi que jogar meu cabelo é muito sexy, mas acho que isso eu já sabia fazer sozinha.

Também aprendi os nomes dos personagens de *EastEnders*[5] e sabia mais ou menos o que estava acontecendo na história, só de ouvir com bastante atenção. Estava muito orgulhosa disso.

Agora sabia quem era Cheryl Cole e também quem eram todos os personagens de *Glee*.

Eu sabia que as pessoas daqui provavelmente não seriam meus *BFFLs*.[6]

E sabia que nunca deveria repetir uma única palavra das que ouço na casa paroquial.

---

[5] *EastEnders* é uma telenovela britânica criada por Julia Smith e Tony Holland, transmitida desde 1985 pela BBC One. Atualmente, está entre os programas mais assistidos no Reino Unido. *EastEnders* conta a história doméstica e profissional de um grupo de pessoas que vive na cidade fictícia de London Borough de Walford, em East End, Londres. (N.T.)

[6] *BBFL* é a sigla em inglês para Best Friend For Live, que significa "melhores amigos para vida (inteira)". (N.T.)

Sei que tenho de mentir todos os dias e que nunca poderia convidar nenhum de meus novos amigos para ir à minha casa.

Era muito cansativo passar cada momento de cada dia mentindo para uma pessoa ou outra. Eu fingia tanto na escola quanto na casa paroquial. O único momento em que eu ficava relaxada era na cama à noite e, mesmo assim, Rebecca poderia facilmente me fazer uma pergunta que me pegaria desprevenida. A única coisa que ela não sabia a meu respeito era que minha vida era uma droga, assim como a dela. Que eu achava tudo tão difícil quanto ela. Talvez ela supusesse, mas eu achava que não, pois Rebecca acreditava que tudo vinha muito fácil para mim, que eu era a Pequena Miss Normalidade. Meu Deus, como alguém poderia crescer naquele lugar com pais como os nossos e ser normal? Era isso que eu estivera esperando que a escola pudesse me ensinar em vez de Matemática e coisas estúpidas, e queria que Rebecca trabalhasse um pouco mais sua normalidade também. Eu a vi passando por mim no corredor da escola com sua mochila pesada em ambos os ombros, inclinando-se e murmurando para si mesma, em sua calça muito curta e com as terríveis meias verdes brilhantes aparecendo. Eu queria correr e puxá-la para trás de mim, cobri-la e escondê-la dos olhares. Eu via as pessoas rindo dela o tempo todo; eu tive de ver isso a minha vida toda e por muito tempo achei que isso fazia mais mal a mim do que a ela. Eu queria gritar para que eles sumissem, para que a deixassem em paz, talvez empurrá-los ou machucá-los de alguma forma para que soubessem como é ser perseguido. Entretanto, era como se Rebecca não percebesse ou nem mesmo se importasse, e foi por isso que desisti dela, deixei que ela seguisse em frente sozinha. Ela podia aceitar sua Estranholândia do jeito que queria, mas eu não me afundaria com ela.

Esperava que Craig viesse no dia seguinte e conversasse comigo novamente. Se ele fizesse isso, eu precisaria aproveitar ao máximo o momento e mostrar-lhe que gosto dele. Talvez Craig me convidasse para um encontro e me levasse a algum lugar legal; apenas nós dois.

A semana se arrastava com ele mal aparecendo na escola. Tomei coragem e, na quinta-feira, enviei um pedido de amizade no Facebook durante o horário de aula. Não deveríamos usar a sala de informática durante o horário de estudo, mas ninguém levava a sério essa regra, então eu não via por que eu deveria levar. Esperei que ele me adicionasse; fiquei me mexendo na minha cadeira, clicando seguidamente o mouse a cada segundo durante 40 minutos. Quarenta minutos que deveriam ter sido usados para eu tentar fazer a lição de Física. Nossos pais nos faziam cursar essas matérias idiotas e eu não conseguia entender uma palavra que fosse. Nada. Nada. Aquilo passava pela minha cabeça como areia por uma peneira, e eu sabia que o professor podia perceber isso também. Eu ainda não respondera uma única pergunta corretamente. Eu observava Rebecca lutando para entender, a concentração fazia seu rosto ficar ainda mais esquisito, e eu queria gritar com eles e dizer que odiava tudo aquilo, que não queria fazer nada do que estavam me pedindo. Mas, em vez disso, eu copiava as respostas de outra pessoa e mantinha meus dedos cruzados, esperando que o professor me deixasse ir embora se eu sorrisse alegremente e entregasse minha lição no prazo.

Todas as aulas eram assim. O que Rebecca e eu queríamos com Matemática, Física e Química? Ele escolhera nossas matérias, ele pensava que eram as matérias que forneciam menos riscos, e imaginava que não entenderíamos nada. Poderíamos muito bem ter estudado marciano. Ele se rejubilava provando que éramos inúteis. Ele e sua inútil graduação em Teologia em Cambridge, a qual posso dizer foi o ponto alto de sua vida até agora... Desde então ele vem perseguindo grandeza, tentando provar que merece sucesso, mas o bispo não lhe dá valor, eu acho, apesar das horas que ele passa lambendo-lhe as botas, e o resto de sua vida tem sido um passeio numa montanha--russa de anticlímax. Ele tinha de enfrentar os fatos: não seríamos neurocirurgiãs ou cientistas ou vencedoras do Prêmio Nobel. Rebecca deveria estudar Inglês, pois sempre que pode fica na biblioteca como um ratinho tímido com a cara enfiada num livro, e eu poderia fazer algo divertido, como fotografia ou artes cênicas. Daisy cursava os dois e ria quando me via me arrastando para as aulas de Química com um bando de nerds, como ela os chamava. Tenho uma boa ideia para trocar as aulas, ele nunca saberia disso, não se eu fosse esperta, e eu conseguiria me divertir um pouco mais. Craig também frequentava a aula de Física, isso quando ele aparecia, o mesmo ocorria com a de Matemática. Daisy me falara que Craig queria ir para a universidade e que ele tinha várias notas A em seu boletim. "Nunca julgue um livro pela capa", Vovó costumava dizer. Parecia que ela estava ali. Entretanto, ela me censuraria por estar saindo por aí e me lastimando por causa de Craig. Ela sempre teve a opinião de que deveríamos fazer algo de útil por nós mesmas, não apenas nos casar e ter filhos, mas fazer algo satisfatório, algo que a deixasse orgulhosa. "Nunca confie num homem", ela dizia. Coisa antiquada, boba. Nós nos divertíamos com a Vovó até nossos pais descobrirem isso.

Rebecca

Depois

Depois que ele descobriu tudo sobre meu trabalho de entrega de folhetos, depois que roubou meu dinheiro e me bateu, deixando-me com manchas pretas e azuis, eu não sabia o que mais poderia fazer. Ele quis me colocar de volta no meu lugar e provar, mais uma vez, que ele era o rei, e eu, nada. Hephzi não concordava. Ela me disse para fugir de lá e fazer a coisa certa.

Só existe um jeito, Reb, dizia ela. *Como eu sempre tenho falado: temos que cair fora daqui. Depressa, por favor, não espere, você tem de correr porque não há tempo a perder. Eu prometo que vamos juntas dessa vez, vamos juntas e seremos livres.*

Finalmente ela começou a falar comigo de forma adequada, não apenas com pequenas palavras aqui e ali. Ela estava de volta para me fazer rir e agir como boba, e eu estava feliz por tê-la por perto. Passara-se tanto tempo desde seu funeral, tanto tempo desde que eles a colocaram naquele caixão e jogaram terra sobre sua cabeça. Três meses inteiros sem ela. E agora que ela estava realmente aqui comigo, quer eu quisesse, quer não, isso fazia que os minutos que eu passava na casa paroquial parecessem mais suaves, quase suportáveis. Mas ela estava com raiva também; ela pensava que as pessoas deveriam saber o que acontecera e que eu deveria contar. *Eu não queria morrer, Reb!*, disse-me, chorando, com a cabeça aninhada ao lado da minha no travesseiro, como quando éramos pequenas. *Por que eles não se importam?*, perguntou-me, mas eu não tinha uma resposta boa o suficiente, meus próprios erros soando alto em meus ouvidos, como os sinos da igreja no domingo. Minha vida acabara de ficar interessante, ela dizia. Ela e Craig tinham feito planos. Ela queria saber por que ninguém se incomodou o suficiente para descobrir a verdade, por que Craig também não viera até nossa janela e me chamara.

Eu desistira de fazer essas perguntas havia muito tempo. Quando éramos pequenas, eu pensara em colar um aviso nas costas de Hephzi para que as pessoas vissem enquanto caminhávamos pela estrada. *Ajude-nos!*, o aviso diria. *Rápido!* No entanto, eu sabia que ninguém se preocuparia, pois a tinta seria um truque que desapareceria na secagem; não importa quão rápido eu reescrevesse as letras, elas só iriam derreter, dissolver como neve em água.

Houve uma chance, apenas uma. Não sei o que aconteceu, é um momento que eu apaguei, mas Hephzi dizia que eu tivera um ataque quando ele me bateu muito forte, no topo das escadas, e a Sra. Sparks entrou, e lá estava eu, contorcendo-me no chão do corredor, sacudindo e torcendo, girando como um pião. Antes que ele pudesse dizer as palavras "diabo" ou "possessão" ou encontrasse uma oração, ela foi pegar o telefone para chamar uma ambulância — calma e serenamente, como disse Hephzi mais tarde. Eu só me lembro de acordar no hospital e olhar para a luz. Se era o céu ou não, eu não tinha certeza, mas eu estava quase esperando que fosse e que Hephzi também estivesse lá.

Uma enfermeira veio.

— Acordou finalmente! Mas que raios você estava fazendo? Em que encrenca você se meteu! — Eu lia em seus lábios. Isso foi antes do aparelho de audição, quando o som do mundo era apenas um ligeiro suspiro.

Claro que não respondi. Mas senti que havia alguma chance. Ela tinha algo de bom em seus olhos.

Ela mediu minha temperatura e envolveu uma faixa apertada em volta de meu braço, bombeando-o, em seguida, soltou-a.

— Quer beber alguma coisa? — perguntou, e eu assenti e bebi com um canudo. — O doutor vai vir em breve. Mas não se preocupe, você está bem.

Ela ajeitou o cabelo em minha testa, e seu toque foi tão calmo que eu chorei.

— Ei, ei! — acalmou-me. — Está tudo bem. Você vai ficar bem. Aqui nós ajudamos as pessoas a se recuperarem! Não queremos lágrimas. — E então, quando eu estava quase abrindo minha boca para falar, ela largou um dos objetos. — Seu pai está lá fora. Ele está tão preocupado. Bem, nós todos estamos, não é mesmo? Mas eu acho que você vai sair daqui novinha em folha. Você é uma pessoa forte, não é? Uma verdadeira lutadora. Vou dizer a ele que pode entrar, ver sua garotinha. — E lá se foi ela com um sorriso, e veio o Pai.

— Não diga nenhuma palavra — soltou ele bem no meu rosto. — Porque senão eles vão levar você embora.

Se eles me levassem embora, eu nunca mais iria ver a Vovó ou minha irmã de novo, então eu costurei minha boca.

Ele não me deixou depois disso. Sentou-se e segurou minha mão do braço que estava engessado até o cotovelo e cravou sua unha na palma de minha mão.

Houve uma resposta para cada pergunta, uma desculpa para cada palavra. Eu estava distraída e caíra da escada. (*Você sabe, quando cavalos burros brincam, temos de falar para serem cuidadosos muitas vezes.*) Ele não mencionou que me batera no andar de cima nem descreveu como eu caíra degrau após degrau como a mola de plástico com a qual brincávamos na casa da Vovó.

No dia em que me deram alta, o som e a efervescência à minha volta eram os sons que meus parafusos me permitiam ouvir. Ele comprara flores, chocolates e um cartão para a enfermeira. Ele segurava as duas mãos dela, e ela ficou enrubescida como as pétalas de uma rosa nova no verão.

Isso foi quando eu tinha nove anos.

Mais que tudo, Hephzi queria vingança. Ainda não me atrevi a revelar seu segredo, mas, talvez um dia, se minha alma encontrar um lugar para respirar, eu o faça.

Como eu poderia viver bem? Eu não tinha emprego nem dinheiro e ainda não fazia ideia de se eles haviam caído ou não no plano do curso de verão. Eu teria de tentar novamente com a Mãe, mas quando falei ela fingiu não ouvir.

Hephzi conseguia convencer a Mãe a fazer praticamente qualquer coisa. Não quero dizer que ela pudesse convencê-la a libertar-nos, a menos que fôssemos mal na escola, ou fizesse o Pai desistir de bater em nós. Mas a Mãe faria outras coisas se Hephzi pedisse. O principal é que ela podia fazer a Mãe mentir para o Pai para acobertá-la. Era assim que Hephzi fazia para ver Craig. Se não fosse a Mãe fingindo não perceber nada, talvez minha irmã ainda estivesse viva. Tenho certeza de que a Mãe sabia que Hephzi saía sorrateiramente, eu estava certa de que ela descobrira e desviara seus olhos vazios com medo do que Hephzi pudesse fazer ou falar, como se tivesse medo dele. As pessoas têm. Os dois tinham esse modo de olhar que fazia você desejar ser invisível. Hephzi fazia isso comigo o tempo todo. Se eu discordasse dela em alguma coisa ou a advertisse ou aconselhasse sobre algo, ela me fitava com aquele olhar, com a boca meio cerrada como quem diz *Quem é você para me dizer o que fazer?* Só porque eu a advertira sobre alguma coisa. Foram muitas vezes. Quando eu descobri o que ela estava fazendo com Craig, disse-lhe que era louca, que estava procurando confusão, mas Hephzi zombou e rosnou até eu voltar para meu canto. Eu já falara uma vez, depois de uma de suas escapadas com Craig, e ela agira exatamente como o Pai.

— O que você quer dizer com isso? — Ela me encarou, com os olhos bem abertos. Pequena Miss Inocência.

— Quando você me intimida, quando você não me ouve. Quando você me trata como se eu não fosse ninguém. Você é exatamente como ELE! — murmurei a palavra final no tom mais alto que conseguia durante a noite no nosso quarto, mas gritando silenciosamente para ser ouvida.

— Eu não sou assim! Não diga isso, Reb! — Ela chorou e disse que estava arrependida, mas eu sabia que ela não seria capaz de ajudar a si mesma. Hephzi acreditava que aprendera a sobreviver.

Mesmo tendo enviado minha inscrição, eu sabia que a ideia do curso de verão não funcionaria. Fora estúpido pensar que era uma possibilidade.

O que você vai fazer, então?, perguntou Hephzi, cutucando-me novamente. Tentei ignorá-la quando ela continuou, mas Hephzi estava falando mais alto a cada minuto.

— Eu não sei – disse-lhe, tentando ser firme. — Apenas fique quieta e me deixe pensar.

Nesse ritmo, você vai embora num caixão ferrado igualzinho aconteceu comigo.

Respirei fundo e pensei sobre isso novamente. Não poderia ser tão difícil, supus. Tudo o que eu precisava era fazer as malas, pegar a carteira dos Pais e ir para a cidade. De lá, eu poderia tomar um trem ou um ônibus e me perder em alguma cidade distante. Se eles viessem me procurar, eu teria de correr novamente, e, de qualquer forma, isso seria provavelmente um problema maior para eles e não valeria a pena continuar me procurando. Ele poderia simplesmente disfarçar sua dor e tristeza, como fizera antes, receber as condolências dos habitantes locais e continuar sua vida como de costume. A Mãe poderia ser seu bode expiatório para mudar um pouco, serviria direitinho para ela. E então, quando talvez estivesse livre e segura, eu poderia falar a verdade. Isso revelaria quem são eles.

Mas como eu viveria? Não seria seguro. E quem me empregaria? Eu não tinha habilidades ou talento. E quem iria querer olhar para mim, dia após dia? Eu não tinha nada a oferecer.

Noite após noite, esses pensamentos me mantinham acordada, enrolada em meus lençóis. Eu me escondia debaixo do cobertor, brincando de ser invisível, enquanto planejava, arquitetava e traçava meus planos. Finalmente eu dormia, e então os pesadelos começavam. O som do choro na parede foi ficando mais alto também, assim como Hephzi. O choro vinha me enlouquecendo havia muito tempo, desde que eu tinha 13 anos, e agora todos os três estão aqui. Queria que ficassem quietos uma única noite.

Quando acordava de manhã, tudo estava certo novamente. Eu podia ver que nenhum dos meus planos era possível. A luz sombria da casa paroquial transformava o futuro em escuridão. Eu nunca conseguiria enganá-los. Para onde quer que eu corresse, eles me encontrariam. E por isso eles sabiam que eu permaneceria ali.

Era uma sexta-feira de abril perto da Páscoa.

Eu temia o feriado, pois, apesar de tudo o que odiava na escola, a casa paroquial era ainda mais detestável. Como de costume, estava mantendo minha cabeça baixa, tomando cuidado para não me sentar ao lado de ninguém e tentando passar despercebida. A quinta aula era de Matemática, e havia um professor novo, substituindo o simpático Sr. Connor, que faltara porque estava doente. A professora substituta, a Srta. Peters, era o que você chamaria de intrometida; ela devia pensar que nós devíamos nos considerar sortudos de estar em sua presença, tendo em vista a forma como zombava das pessoas que davam respostas erradas, como se tudo fosse tão simples, e nós, idiotas. Ela me chamara de novo para responder às questões, e parecia ter adquirido a impressão de que eu precisava falar para a sala, como se um ritual de humilhação pudesse fortalecer o caráter de alguém. Normalmente, eu tinha uma ideia da resposta, e até poderia arriscar, mas não daquela vez. Na verdade, não escutara nada naquele dia, eu cochilara e sonhara acordada em minha cadeira, pensando em qualquer coisa, menos na fórmula que me encarava, raivosa, na lousa. E quando ela me chamou, não pude arriscar nenhum palpite. Senti todos à espera, o ar na sala estava repleto de expectativa. Minhas bochechas coraram, e me encolhi em minha jaqueta quando as risadinhas surgiram. Comecei a cantarolar baixinho, curvando-me sobre meu livro; eu não precisava ouvir as risadas e os insultos ou sentir as bolinhas de papel disparadas contra as minhas costas para saber que todos estavam gostando de meu desconforto. Finalmente, a Srta. Peters limpou a garganta e recomeçou a aula, mas, pela tensão em sua voz, percebi que ela não relaxara e soube que ela não faria nada a respeito. No final da aula, ela me disse que minha falta de cooperação a deixara extremamente frustrada. Ela não via nenhuma razão para que eu não tentasse ao menos fazer um esforço, como o restante da classe. Ela não iria me bajular nem me daria tratamento especial; eu teria de melhorar ou ela entraria em contato com meus pais e os chamaria para uma conversa sobre meu aproveitamento escolar. Ela recuou, assustada, quando a interrompi com minha voz desesperada.

— Não. Por favor, não faça isso. Vou melhorar. Por favor!

Pela primeira vez olhei em seus olhos. Ela me olhou profundamente.

— O que há de errado com você, Rebecca?

Sua voz era suave e entendi imediatamente o que ela estava querendo. Ela desejava saber todos os detalhes. Ela queria que eu a deixasse entrar nos segredos de minha família e de meu rosto. Por alguma razão, ela achava que o fato de ser minha professora lhe dava o direito de olhar para mim como se eu fosse uma atração num show de horrores. Peguei minha bolsa, engoli tudo o que eu queria dizer e que havia anos esperava para falar. Virei-me para ir embora. Fiz uma pausa.

— Não há nada de errado comigo, professora. Nada.

Era sexta-feira e eu não queria voltar àquele lugar nunca mais. Hephzi continuava me dizendo para agir normalmente, para passar um pouco de gloss e tentar ser legal. Ela achava que eu precisava esquecer as coisas, superar, pois todos os meus problemas estavam em minha cabeça. Bem, ela mudara o discurso, porque não era assim que costumava pensar. Se estivesse viva, iria me cutucar e sussurrar: "Eles estão encarando você" ou "Vá para lá, finja que a gente não se conhece". Ela sabia o que significava ser eu, mas simplesmente não se sentia como eu me sinto e sempre me sentirei.

Eu achava que as coisas não poderiam ficar pior do que estavam. Tinha certeza de que chegara ao ponto mais baixo possível e, quando voltei para a casa paroquial, tudo o que queria era rastejar para cima e afundar-me no esquecimento. Mas eles estavam esperando por mim novamente. O rosto do Pai era medonho e a Mãe olhava por cima do ombro dele, vermelha de ansiedade. Por um segundo, eu não entendi, não conseguia imaginar o que poderia ser, e então vi o que ele tinha nas mãos: um folheto brilhante, folhas de papel datilografadas. Vi meu nome no envelope grande branco. Ele tinha a prova, não haveria necessidade de um julgamento.

Hephzi

Antes

Na sexta-feira, Craig ainda não me adicionara no Facebook e eu me sentia um lixo. Estava naqueles dias e uma espinha enorme apareceu no meu queixo. De jeito nenhum eu ia correr o risco de ir ao pub aquela noite. Daisy falou que eu poderia dormir na casa dela, mas eu disse que não, que tinha de ir embora e ficar em casa.

— Como você pode ter de ir embora? O seu pai não tem de fazer todas aquelas coisas da casa paroquial nos fins de semana?

— Ah, sim. Ele fica ocupado, mas minha mãe, Rebecca e eu vamos para casa da minha avó. — Viu, eu disse que sabia mentir.

— Tá bom, então. Quem vai perder é você. Nos vemos na segunda-feira.

Ela se virou rapidamente para ir embora. Eu corri para encontrar Rebecca e nós caminhamos juntas para casa pela primeira vez em muito tempo. Pensava na mentira que contara a Daisy.

— Reb, você se lembra de quando costumávamos ir à casa da Vovó?

Ela acenou com a cabeça. Ela odiava falar sobre aquilo.

— Por que eles não deixaram mais a gente ir?

Rebecca olhava para mim como se eu tivesse acabado de lhe perguntar qual a cor da grama ou se o mundo realmente era redondo.

— Ele a odiava.

— Sim, mas por quê? O que ela fez?

— Hephzi, não seja estúpida. Ela nos levava para tomar sorvete. Comprava sutiã para a gente. Ela nos dizia para não acreditar nas mentiras dele. Ele não podia suportar. Ele também achava que um dia ela contaria a alguém o que ele fazia com a gente, ele sabia que era só questão de tempo.

— Sinto falta dela.

— Eu também.

Estava chovendo e nossos casacos não eram apropriados para o clima. No caminho de volta, ficamos ambas encharcadas. Fui direto para o andar de cima e deitei em minha cama, meu estômago doía, e meu cabelo molhado fazia com que os fios úmidos grudassem em volta de meu pescoço. Rebecca veio e me ofereceu uma xícara de chá. Sacudi a cabeça.

— Você tem de tirar o casaco molhado e a calça.

Ela está certa. A calça jeans pesava e estava colada em volta de minhas coxas.

Mas balancei a cabeça novamente.

— Qual é o problema?

Enterrei minha cabeça no colchão e ela finalmente se afastou e se sentou em sua própria cama, cantarolando e resmungando. Eu gritei para os cobertores perguntando-me se algum dia eu seria capaz de acabar com tudo aquilo.

Antes de começarmos a ir à escola, eu costumava ficar deitada na cama quando estava naqueles dias. Minha mãe não comprava absorventes, então eu enchia minha calcinha de papel higiênico barato, que dava coceira, e ficava deitada até me sentir melhor. Tudo voltaria ao normal em poucos dias. Durante todo o dia, eu me sentei nas aulas com minha calça recheada com um rolo de papel higiênico, rezando para que o papel desse conta e eu não sujasse nenhum lugar. Minhas coxas estavam irritadas por ter andado até em casa daquele jeito. Eu chorava em meu colchão um pouco mais. Rebecca sentou-se do lado de minha cama e cutucou meu ombro. Dei de ombros.

— Aqui — disse ela.

— Vá embora!

— Trouxe uma coisa para você. — Virei para olhar. Ela estava segurando um absorvente e dois analgésicos.

— Onde você conseguiu isso?

— Na gaveta dela. Bem lá na parte de trás. Era o único, sinto muito.

Eu rolei para fora da cama, peguei as coisas e fui para o banheiro me arrumar. Salpiquei meu rosto com água fria e olhei para o pequeno espelho. Estava tão rachado e manchado que era difícil ver meu reflexo, mas posso dizer que meu rosto estava vermelho e manchado. Eca! Sentada ao lado da banheira eu me perguntava o que iria fazer.

Quando a segunda-feira chegasse, eu faria o possível para estar com uma cara melhor. O fim de semana estava sendo horrível, mas Rebecca fizera minha lição de casa na noite anterior para que eu pudesse lavar meu cabelo e minhas roupas. Eu tinha pouca roupa. Já usara tudo que havia duas vezes, e logo Daisy iria notar. Devolvera as roupas dela no dia seguinte à nossa ida ao pub, mas ela pegou o top e a calça jeans, enrolou-os e os colocou dentro da bolsa como se não fossem nada. Às vezes, a Sra. Sparks nos trazia coisas e eu esperava que ela aparecesse logo. Ou eu poderia ir vê-la, só para dar uma refrescada em sua memória. Ficava me perguntando se ela sabia o que acontecia... Eu precisava de mais absorventes, então, no caminho para a escola, teria de persuadir Rebecca a distrair o farmacêutico com alguma de suas muitas doenças para que eu pudesse roubar um pacote. Não sou uma boa ladra, fico nervosa, especialmente quando penso no que aconteceria caso eu fosse pega. Mas eu não podia continuar a colocar aqueles trapos velhos em minha calça, lavando-os e pendurando-os para secar no quarto. Eles nunca ficavam limpos, as manchas permaneciam no mesmo lugar, lembretes escuros do sofrimento. Pela primeira vez, Rebecca fez um bom trabalho na farmácia, e eu saí porta afora para rapidamente subir em direção a High Street sem ela. Nós nos atrasaríamos para a chamada, mas quem se importava? Não esperei por minha irmã, eu não podia deixar as pessoas nos verem juntas muitas vezes, então me apressei e entrei na escola indo direto para a sala de estudos. Eu tinha a primeira aula vaga e queria verificar minhas mensagens. Havia um monte de postagens no Facebook, e eu fui rolando a página para ler o que o restante do colégio estava fazendo enquanto eu estava presa na casa paroquial com Rebecca e meus pais. No fim de semana, Rebecca e eu tínhamos feito as tarefas habituais e, então, fomos para a penitência, de joelhos no chão frio de pedra da igreja, durante seis horas inteiras. Para o deleite dele, esse fora o nosso castigo por não responder suas perguntas sobre o sermão. Eu me pergunto se deveria postar isso no Facebook.

Contudo, meu coração disparou quando vi que Craig finalmente aceitara meu pedido de amizade e até me enviara uma mensagem privada. Corando e sorrindo, cliquei nela.

Onde você esteve no fim de semana? Você perdeu uma noite incrível. Festa na minha casa no sábado. Venha.

Achei que talvez estivesse delirando. Aquela era a coisa mais emocionante de todos os tempos. Eu iria à festa nem que fosse a última coisa que fizesse; se o Pai descobrisse, provavelmente seria a última mesmo. Aquilo tinha de ser a prova de que Craig gostava de mim tanto quanto eu gostava dele. Tinha de ser.

Daisy apareceu no meu ombro e posso garantir que ela estava se esforçando para olhar a tela de meu computador. Eu rapidamente minimizei a janela.

— Oi! — Ela parecia feliz em me ver, e sorri de volta.

— Foi legal lá na casa da sua avó?

Lembrei-me da mentira com rapidez suficiente para responder sem pausa:

— Ah, sim, foi tudo bem.

— Tivemos uma noite tão boa na sexta-feira. Você realmente perdeu!

Eu dei de ombros, o que me importava?

— Depois que tudo acabou, nós fomos para a casa do Scott; os pais dele não estavam lá e foi quase uma festa. O irmão mais velho dele também estava lá com todos os seus amigos... Meu Deus! Tinha um cara, Billy, ele era... perfeito!

Eu ia concordando com a cabeça conforme ela me contava a história, mas na verdade eu não estava ouvindo nada; estava pensando no que eu precisaria fazer para escapar no sábado. Presumi que Daisy saíra com um dos caras mais velhos e que o veria no fim de semana. Ela estava orgulhosa disso e eu estava contente, pois significava que ela não estava mais atrás de Craig e talvez eu tivesse uma chance.

— Então você vai levar esse cara para a festa do Craig?

— O quê? — Por um segundo, Daisy pareceu não ter certeza e em seguida sorriu largamente, jogou o cabelo e deu de ombros: — Talvez, se a gente não tiver nada melhor para fazer.

Finalmente fui para a aula e sentei-me, sonhando acordada, enquanto fazia uma experiência de Física. Por sorte, eu estava fazendo dupla com Jack, que era um nerd, e ficava mais que feliz em fazer todo o trabalho para mim. Era fácil mantê-lo mansinho. Eu só tinha de sorrir, e ele ficava vermelho até a raiz dos cabelos. Ele provavelmente gostava de mim; a maior parte dos nerds tem sorte se uma garota lhe dá atenção em algum momento do dia, imagine então se ela lhe disser quão legal ele é. Então eu continuei bajulando Jack, e ele continuou fazendo o trabalho duro. Acho que essa relação estava dando certo para nós dois, no entanto, é claro que Rebecca desaprovaria. Ela diz que estou tirando vantagem dos outros e que tudo bem fazer isso com ela, mas que eu deveria respeitar mais as outras pessoas. Ela consegue ser uma chata às vezes. Não me surpreende que não tenha amigos.

De qualquer forma, encontrei Samara e Daisy na hora do almoço no pátio e elas estavam reclamando sobre a festa de Craig.

— Como é que você foi convidada e nós não? — indagou Samara, cruzando os braços e olhando para mim com a cabeça inclinada para o lado.

Dei de ombros. Eu realmente não tinha ideia.

— Você acha que poderia nos convidar?

Mais uma vez dei de ombros.

— Acho que posso pedir a ele. — Eu não conseguia disfarçar a relutância que rastejava em minha voz e sabia que soava muito óbvio que eu não queria fazer aquilo.

— O que foi? Você não quer que a gente vá? — Agora Daisy parecia uma louca, o que era a última coisa de que eu precisava.

— Claro que quero. Só que não tenho certeza de que o conheça bem o suficiente para, bem, você sabe, pedir favores.

— Mas Craig me conhece! — Daisy ainda parecia irritada. — Não sou uma pessoa qualquer, não é como pedir para levar sua irmã mongoloide, não é mesmo?

Por um momento, minha cabeça girou e divagou. Eu pensava se Daisy era minha amiga. Achava que ela gostava de mim. Eu não sabia por que isso doía tanto. Sabia o que ela pensava, é claro que sabia. Mas ela não deveria ter dito. Eu não podia simplesmente rir e deixar pra lá.

— Pergunte você mesma para o Craig, já que o conhece tão bem, Daisy. — Levantei-me e fui embora. Desculpe, Rebecca. Foi o melhor que pude fazer.

Chorar no banheiro não ajudou muito. Fiz isso durante a tarde sem falar com ninguém. Eu não conseguia olhar para o rosto de Rebecca enquanto caminhávamos para casa. Ela achou que eu ainda estava chateada por causa do fim de semana.

— Um dia as coisas vão ser melhores, Hephz — disse ela.

Eu forcei um sorriso.

— Ah, é? Quando?

Estávamos chegando à casa paroquial, então ela parou e olhou a casa. Pareceu pior do que nunca.

— Quando eles morrerem. Ou quando a gente morrer, acho.

Ela resmungava as palavras de modo silencioso, mas sua raiva era notória como uma tempestade.

Eu estendi o braço e o coloquei em torno dela.

— Não seja boba. Nós vamos ficar bem. — De repente, sou a única trazendo conforto e gostaria de poder lhe dar um abraço, mas se nossos pais nos vissem haveria problemas. Entramos em casa e começamos nossas tarefas: lavar os pratos, lavar a roupa — os intermináveis deveres de casa — e, então, quando pensamos que poderíamos relaxar, ele nos ordenou que descêssemos. Era uma das noites em que ele queria que ficássemos com ele. Tentei olhar ao redor, esquecendo-me de que estava ali, mas ele não ia me deixar em paz aquela noite.

Ajoelhada no chão na frente dele, ele penteava meu cabelo. Acho isso meio estranho; quando eu era pequena, tudo bem, mas agora eu não gostava.

Ele interrogava Rebecca sobre a escola, mas as respostas dela eram monossilábicas, e eu pedia silenciosamente a ela para falar um pouco mais, porque eu podia sentir o corpo tenso dele atrás de mim. Quanto menos ela falava, mais firmemente ele afundava a escova em minha cabeça a cada palavra que ela não pronunciava. Tentei sinalizar para ela, mas ela não estava olhando para mim. *Ah, Rebecca, salve-me, salve-me*, eu gritava dentro de minha cabeça e, de repente, ela se virou para nos olhar e o viu segurando firmemente meu pescoço com uma mão e com a outra pronta para escovar meu cabelo com força. Vi meu horror refletido nos olhos dela e quis vomitar.

— Meu professor de Física me disse que eu não estava estudando o suficiente — disse Rebecca, com clareza. — Preciso melhorar senão vou para a detenção.

Ele me deixou e foi na direção dela. As palavras usuais. Fracasso. Vergonha. Verme. Lixo. Tapei meus ouvidos e fui para o quarto, no andar de cima, para me esconder. Eu queria não fugir. Um dia, vou esconder aquela escova de cabelo e a cinta. Vou acabar com os planos dele. Mas, por enquanto, deixei minha irmã levar a surra que seria minha.

O que mais ela levou que deveria ser para mim ao longo dos anos? O que ele fazia com ela enquanto eu fugia e me escondia? Como numa mó, meus pais a moíam, fazendo-a andar em círculos, empurrando-a, punindo-a implacavelmente por pecados que nós nem sequer sabíamos que existiam. Quando eu parava e olhava, percebia que a cada ano ela estava menor, como se tivesse se desintegrado um pouco mais. Um dia poderá não restar mais nada, apenas um grão de poeira dançando num facho de luz. Então, quem irá me acobertar? Quem irá me salvar quando eu cair?

Finalmente tudo acabou e ela rastejou até as escadas e por todo o carpete do corredor como uma mariposa à beira da morte. Eu a ajudei a levantar-se e deitar-se em sua cama.

— Sinto muito — sussurrei. Ela balançou a cabeça e fechou os olhos. Podia ouvir seu coração batendo forte, vê-lo vibrando contra as costelas, mas ela colocou suas roupas em torno de si e se enterrou entre os cobertores. Ela escondeu o corpo, até mesmo de mim. Odiei vê-la sofrendo e olhei para fora da janela. Ele bateu nela mais do que bateria em mim e essa era outra razão pela qual eu nunca deveria ter pedido ajuda a Reb; mas me sentei ao lado dela e acariciei seu cabelo. Havia sangue coagulado em seu couro cabeludo e peguei um pano para tentar limpá-lo.

Ele nunca pede desculpas. Apenas faz de conta que nunca aconteceu nada. Nós nunca ousamos revidar seus golpes, ainda não. Sei o que aconteceria se fizéssemos isso.

Eu me lembrei de quando tinha 12 anos e Vovó estava lá. Eles estavam brigando e gritando, e ele segurava Vovó pelo pescoço e gritava em seu rosto, ela pedia para ele se acalmar, suplicava para que a Mãe chamasse a polícia, e então ele a empurrou contra a parede e depois para fora da casa paroquial com tanta força que ela caiu, rolando escada abaixo, e ele bateu a porta. Não quis me lembrar do resto.

Nenhuma de nós foi para a escola na terça-feira. Rebecca sentiu-se muito mal e eu não quis deixá-la sozinha. Normalmente, ele era esperto com seus punhos e nunca deixava marcas que pudessem ser vistas, entretanto, daquela vez, ele pareceu não se importar. Acho que estava gostando demais para levar isso em conta. Ele sabia que podia negar tudo. Já fizera isso antes. Perguntei se ela queria que eu lhe trouxesse alguma coisa, mas ela disse que não. Na hora do almoço, eu estava entediada perambulando pelo nosso quarto sem nada para fazer e, como Rebecca estava deitada e muda em sua cama, desci para procurar algo para beliscar na cozinha. Enquanto eu procurava algo para comer, a Sra. Sparks entrou.

— Ah, olá, querida!

— Oi! — Sorri mesmo não querendo. A Sra. Sparks é chata.

— Acabei de ajudar seu pai a organizar umas coisas da igreja para este mês. Ele saiu agora. O que você está fazendo em casa? Ainda é cedo para já terem saído da escola. Vocês acabaram de começar!

— Ah, eu não estava me sentindo muito bem esta manhã. Nem Rebecca. Ela está na cama.

— Pobrezinhas! Precisam de alguma coisa? Sua mãe está fora, em visitas, não está?

Vislumbrei uma chance.

— Ah, precisamos sim, se não for muito incômodo. — Sorri mais honestamente dessa vez. — Estamos sem analgésicos e Rebecca está com uma dor de cabeça terrível. — Bem, isso não era mentira. — E parece que não temos nada para o almoço também.

Ela não precisou de mais orientações e, rápida como uma lebre, voltou com suprimentos. Era incrivelmente rápida e estava ofegante ao subir os degraus de volta com um saco cheio de guloseimas que trouxera de sua própria cozinha e outro com roupas e outras coisas. Ela empurrou as sacolas para mim.

— Aqui está, querida. E diga a Rebecca que espero que ela se sinta melhor rapidinho. Apareçam sempre que precisarem, OK?

Mal parando para agradecê-la, fui correndo para o quarto com as coisas, jogando os analgésicos para Rebecca e esvaziando a sacola de roupas. Era como se elas tivessem caído do céu. Eu falava exultante enquanto Rebecca observava. Eu a escutei abrir uma caixinha de suco e tomar um belo gole, então parei de me preocupar com ela e comecei a escolher meu modelito para sábado à noite.

Fiz um banquete com as coisas da geladeira da Sra. Sparks e passamos o restante da tarde deitadas em nossas camas, conversando. Rebecca e eu poderíamos conversar muito mais, mas eu cochilei enquanto ela me contava uma de suas histórias, com o sol tardio de outono brilhando em nossa direção. Sonhei com a festa, o vestido que iria usar, comigo tropeçando e todo mundo rindo e Craig beijando Daisy. Quando finalmente despertei, fiquei feliz que nada disso tivesse acontecido de verdade, mas me senti incrivelmente nervosa e confidenciei isso a Rebecca.

— Não tem como você ir. — Ela cruzou os braços e sentou-se ereta.

— Por que não? — Ela não podia estragar isso, mas sei que ia se esforçar para tanto.

— Porque provavelmente você vai ser pega. Quantas vezes eu vou ter de lhe explicar isso?

— Mas eu não fui pega antes.

Ela fez um ruído que era algo entre um bufo e um grito.

— Porque eu ajudei você! Só que não vou ajudar dessa vez. Você está sozinha nisso.

— Você tem de me ajudar!

— Não, eu não tenho.

— Sim, você tem.

Aquilo poderia durar horas. Nos duas éramos teimosas, mas, como continuava me sentindo mal, parei de discutir, deixando-a ganhar uma vez e mudando de assunto.

— Então, você vai para a escola amanhã?

Ela continuava brava e não respondia. Eu a deixei lá, nervosinha, e desci. Atrasar-se para a refeição era pecado capital, e escutei Rebecca se rastejando atrás de mim. Ele não falaria nada sobre o que ocorrera no dia anterior, agiria como se nada tivesse acontecido, e todas nós faríamos isso também. Talvez devêssemos contar a alguém sobre ele, não poderíamos continuar assim para sempre, eu tentaria lembrar-me de perguntar a Rebecca depois o que ela pensava. Poderíamos contar alguma coisa a um professor ou à Sra. Sparks, e, se pudéssemos fazê-los acreditar em nós, tudo isso acabaria e ficaríamos seguras. Olho para nossa mãe e imagino o que aconteceria a ela se contássemos. Ela poderia ter problemas também, ou poderia negar tudo e dizer que não tinha nada a ver com aquilo. Ela é uma boa mentirosa. O tique-taque do relógio soava alto enquanto comíamos em silêncio. Sinto o medo de Rebecca como um mal em volta do meu estômago e sei que o tempo está se esgotando.

Rebecca

Depois

Eu não voltaria para a escola. Agachei-me no patamar da escada, segurando o corrimão e esforçando-me para ouvir enquanto ele fazia uma ligação e dizia que eu decidira parar de estudar. Até a Páscoa ninguém mais lembraria que eu existi, foi o que ele me disse mais tarde.

Se eu não ia voltar para a escola, então isso significava que não haveria exame de admissão, o que significava nenhuma qualificação, o que significava nenhum trabalho. O que significava nenhuma chance de escapar.

Não!

Sim.

OK, simplesmente desista. Basta ficar aqui e morrer, se é isso que você quer. Primeiro foi a Vovó, depois eu. E você é a próxima, Rebecca, disse Hephzi desdenhosamente. Mas eu vira o que acontecia quando se tentava sair.

Ele abriu meu envelope, segurou a carta que me oferecia uma vaga no curso de verão e rasgou tudo em pedaços. Perguntei-me se era possível que as punições acabassem. Um dia, eu certamente ficaria muito velha ou corajosa para continuar sendo um objeto da tirania dele. Eu estava com quase 17 anos.

Era abril, quase Páscoa, e estávamos muito ocupados. Aparentemente, eu estava ocupada com o chá e a limpeza dos banheiros, mas, nos bastidores, havia outras atividades para eu exercer. Eu era a Imperfeição de sua Justiça, e, conforme me dirigia seu jogo particular de moralidade, senti a chama queimar de novo e de novo. Eu encolhia minha mente enquanto pensava em todos os livros que nunca chegaria a ler, as histórias que ele estava escondendo de mim. Não era justo. Por que eu tinha de ficar em sua prisão, por que tudo que sempre amei tinha de ser tirado de mim? Se ao menos eu pudesse fugir. Mas como? Era impossível. Se minha irmã, minha linda irmã, não conseguira, então eu não tinha nenhuma chance. Não havia ninguém que pudesse me ajudar.

Por muito tempo fantasiei sobre a possibilidade de viver com Vovó ou com Tia Melissa e Tio Simon. Minha tia e meu tio estiveram no funeral de Hephzi, logo no início do ano, havia quase quatro meses, e acho que eles foram embora com um suspiro aliviado em seus lábios. Talvez eu devesse ter contado a Tia Melissa quando ela tentou falar comigo. Seus nomes nunca são mencionados, e eles não tentaram me ver desde então. Acho que não posso culpá-los por ficarem longe, é perigoso interferir no que se passa nesta casa. Haja vista o que aconteceu com Vovó.

O Pai me impedira de viver por quase 17 anos, mas ele não conseguira impedir a primavera que chegava dia após dia, à qual eu assistia. Estava tentando me salvar. Puxei para o lado as cortinas pesadas da sala um pouquinho, para ver as árvores floridas, grandes velas amarelas e creme enfeitavam o jardim, pronto para o verão. A grama estava crescendo, verde e selvagem, e eu esperava que ele me deixasse sair para cortá-la logo, para que eu pudesse sentir seu perfume fresco e o sol na minha pele. No espelho do banheiro, vi-me mais pálida do que nunca, e me perguntava se poderia levantar camadas de minha pele e descascar-me como um papel antigo. Imaginei que meu corpo viraria pó antes que a tinta do meu futuro tivesse a chance de secar.

O relógio tiquetaqueava muito lentamente, mas também ainda havia muita coisa a fazer. Tive de me manter na ponta dos pés. Talvez ele me testasse; ele gostava de me fazer perguntas para ter certeza de que eu estava ouvindo seus sermões, e logo mais haveria um monte deles.

Eu estava cansada da lista de pecados. Eu estava cansada de repetir seus mantras.

Em outros dias, eu trabalhava para a Mãe; eles me empurravam um para o outro como se eu fosse um rato entre os dois gatos.

Não havia maneira de protestar, então me envolvia no manto de desilusão da Mãe e me armava com o escovão e a água sanitária. Tivemos de deixar tudo impecável, a Páscoa é um grande evento e sempre há visitantes. Ela a tem limpado por toda sua vida, mas essa casa nunca muda. A sujeira está impregnada em seus poros. Mesmo assim, esfregamos todos os dias, com firmeza e por muito tempo. Eu me perguntava o que aconteceria se um dia ela acordasse e encontrasse cada superfície brilhando como nova. Talvez o feitiço se quebrasse e ela sorriria e se libertaria, voando pela porta da frente, e fugiria através do jardim verdejante para ser tragada pelo sol. Ou talvez desaparecesse numa nuvem de fumaça ou se dissolvesse numa poça no assoalho polido. Não sei. Nós só limpávamos o primeiro andar e a igreja. Eu não estava autorizada a entrar no quarto deles, e ela não entrava no meu. Não depois do que acontecera. Eu gostava de que ela se mantivesse afastada, era melhor assim. E se ela visse a parede agora, se soubesse o que estava escondido lá, crescendo dia após dia, ela talvez nos machucasse novamente. Ela não podia cuidar de uma criança; você com certeza não confiaria a ela um bebê.

Normalmente, não nos falávamos durante o serviço. Na verdade, nem lembro da última vez que conversamos. Então, de repente, na Sexta-feira Santa, ela começou a falar.

— Por que você fez isso? Por que você mentiu?

Levei muito tempo para pensar na resposta certa, e mesmo assim ela estava errada.

— Eu sabia que vocês não me deixariam ir. — Mantive minha voz baixa, pois não queria que ele nos ouvisse.

— Claro que não, você nos traiu. Você é uma covarde em quem não se pode confiar, exatamente como seu pai sempre disse.

— Eu só queria outra coisa... Eu não posso ficar aqui para sempre. Era uma chance de tentar algo novo.

— Você mentiu. A história sobre o acampamento da igreja... Era tudo uma mentira.

Balancei a cabeça.

— Eu ia pedir em seu nome. Achei que você poderia ir.

Agora era ela quem estava mentindo, e eu parei de seguir seus lábios e tentei ouvi-la.

— Você é uma criatura perversa, Rebecca. — Ela se levantou para sair. — Tinha de ser você mesmo.

Meus pais tinham sua definição particular do que era o bem e o mal. Na Igreja, nosso Pai é um homem de Deus; na cidade, ele é um modelo de virtude; e, na casa paroquial, eu era o mal, porque fora marcada. Foi o que me disseram assim que eu tive idade suficiente para entender.

Mais tarde, naquele dia, sentei-me na igreja, ao lado da Mãe. As atividades da Sexta-feira Santa tinham começado e seriam longas. Eu não queria ouvir nem uma palavra do que ele dizia. Seu tema era o orgulho e eu transcrevi as bobagens dele e ouvi as palavras uma centena de vezes.

— O orgulho são os trompetistas do diabo! — declarou ele. — Quando o Senhor Jesus morreu na cruz, por todos vocês, pecadores, o Pecado do Orgulho foi derrotado. Mas o orgulho de um filho ingrato é um espinho no flanco do Senhor nosso Deus...

Baixei os olhos e tentei fugir do presente.

No entanto, a lembrança que me veio foi uma das mais tristes que tenho. Quando Vovó morreu, eles nos levaram para ver seu corpo naquele caixão barato, vestida com uma antiga camisola rosa. Eu queria beijá-la e dar-lhe adeus. A sala estava muito fria e as flores, que estavam ali e acenavam tristes nos vasos sobre o aparador, logo morreriam também. O machucado na testa de Vovó era verde e amarelo, seu rosto estava triste. Ela tinha um sorriso tão lindo e gostava de fazer caretas para nos fazer rir.

Antes de chegarmos lá, eu estava com os dedos cruzados, esperando que aquilo não fosse verdade e que, no fim das contas, minha avó ainda estivesse viva. Alguém poderia facilmente ter se enganado, eu pensava. Fiquei olhando, esforçando-me para ouvi-la respirar.

Era inútil. Ela parecia muito mais velha do que quando eu a vira pela última vez. Velha, derrotada e triste. Ela partira. E eu sabia que ela morrera porque ele não deixava que ela nos amasse, eu sabia que ela morrera porque ele a empurrara. O que eles disseram sobre ela cair da escada, eu sabia que era mentira deles.

Deixei minha memória de lado quando Hephzi gritou em meu ouvido, mandando levantar-me para a leitura; todo mundo já estava em pé, e ele me olhava, esperando.

Após as orações finais, segui a Mãe desde a igreja até a casa paroquial, e tomei meu último gole do mundo exterior antes que ela fechasse a porta atrás de nós.

Chorei pela Vovó e por Hephzi tarde da noite, quando ninguém podia me ouvir. Não chorei em seus funerais, mesmo sabendo que isso me fez parecer estranha, porque eu nunca deixaria que os Pais vissem minha dor. Mantenho meu sofrimento escondido, lembra?

Acordei cedo no domingo de Páscoa, antes mesmo do necessário. Eu queria falar com Hephzi e dar-lhe meu presente. Sempre lhe dava alguma coisa em nosso aniversário. Este ano foi uma flor. Era uma campânula branca que eu colhera meses antes, tão frágil que eu a embalava em minhas mãos como se fosse feita de sonhos. Escondi-a no assoalho e guardei por todo aquele tempo. Coloquei-a na cama dela e esperei.

Logo estávamos de volta à igreja para nos certificarmos de que tudo estava em ordem. Os sinos tocavam e lá fora estava claro e ensolarado, mas o dia foi escurecendo conforme fechávamos a porta atrás de nós. Quando as atividades começaram, eu me sentia como se estivesse dormindo; escondia meus bocejos com as mãos e fingia que estava orando. Ele estava esperando uma boa plateia e levou semanas escrevendo seu sermão. Eu sabia que não deveria estar me alfinetando e cutucando as cicatrizes em meu coração, no entanto, não conseguia parar de pensar no passado, embora lá nem sempre fosse seguro.

A última vez que eu vira nossa avó foi em nosso aniversário de 12 anos.

Nós estamos com 17 anos hoje!, gritou Hephzi. Concordei e disse para ela ficar em silêncio.

Voltando ao 12º aniversário, Vovó chegara cedo para pegar a gente, e a Mãe permitira que saíssemos com ela, torcendo nervosamente sua blusa e lembrando Vovó de estar de voltar antes das 16 horas. Nós só fomos autorizadas a ir porque Hephzi chorou, implorou e fez a maior birra que eu já vira até então.

Vovó garantiu à Mãe que nos traria de volta sãs e salvas.

— Claro que vou, sua boba. Agora, vá descansar um pouco, pare com essa correria. Vou cuidar das meninas, você sabe que eu sempre cuido.

Corríamos conduzidas por ela, que nos segurava pela mão, e ela sorria para Hephzi e depois para mim, rindo de nada.

Ela perguntara o que queríamos fazer e Hephzi escolheu primeiro, é claro, ir a lojas. Lembro-me de tocar as roupas, segurar os vestidos contra meu corpo, sentindo o cheiro de coisa nova e inalando animação. Vovó me comprou uma camiseta cinza e vermelha com Minnie Mouse estampada. Até Hephzi disse que era legal. Em seguida, fomos para o departamento de roupas íntimas e Hephzi escolheu seu primeiro sutiã e pijamas novos.

— Logo será sua vez, querida — Vovó me disse, mas eu não estava com ciúme. Ao contrário de Hephzi, eu não queria crescer; não queria que os olhos do Pai se fixassem em mim como haviam se fixado nela.

Depois nos empanturramos com hambúrgueres, batata frita, bolo e sorvete. Eu enchia minha boca com comida tão rapidamente que Vovó pareceu preocupada e me disse para ir devagar, que eu poderia comer o tanto que quisesse. Apesar de estar me sentindo meio mal, continuei, como se a farinha, o açúcar e a doçura fossem preencher o buraco dentro de mim que estava crescendo tão rápido que eu tinha medo de que me devorasse.

Nosso aniversário de 12 anos. Foi apenas da Vovó que recebemos presentes; dela eram o único beijo, o único sorriso, a única risada. Escolhi de presente ir a uma livraria e ficamos sentadas ali por séculos. Tirei um monte de livros e me cerquei de histórias. Poderia ter ficado ali durante toda a noite. Vovó riu e comprou dois livros novos para mim, de capas duras e brilhantes, que eu carregava cuidadosamente como um tesouro ou uma carga de dinamite. Eles ficariam na casa dela, esperando por mim quando eu fosse visitá-la da próxima vez.

Depois fomos assistir a um filme, foi nosso pedido em conjunto, mas o filme era mais longo do que Vovó previra e, quando saímos do cinema, com os dedos pegajosos por causa da pipoca doce, já eram 15 para as quatro.

— Não se preocupem, meninas, a Vovó vai levar vocês de volta sãs e salvas — disse ela no estacionamento, apressando-nos para entrar em seu carro. Lembro-me de como ela dirigira, soltando o freio, o pé fundo no acelerador e a cabeça esticada para a frente, com os dentes mordendo o lábio. Hephzi e eu ficamos quietas no banco de trás, nós nem mesmo disputamos para ver quem sentaria na frente, e comecei a olhar o relógio no painel desejando que o tempo passasse bem lentamente.

Ele já estava lá quando chegamos, esperando. Eu queria ter dito a Vovó que apenas nos deixasse na parte de trás da casa e fosse embora, mas ela estacionara e, determinada, seguiu-nos para dentro da casa.

— O que é isso? — Ele estava pronto.

— Roderick, como você está? — A voz dela soava normal, exceto por certo tremor quando pronunciou o nome dele.

— Onde você esteve? Você tem alguma ideia de que horas são?

— Sim. — Ela ainda estava calma. — São quatro e meia. Nós tivemos nosso almoço e um dia bom. Agora as meninas estão de volta sãs e salvas. Elas logo estarão prontas para o chá.

— Quem lhe deu permissão para tirar minhas filhas de casa? — Ele deu um passo na direção dela.

Hephzi já estava na escada, escapulira pelas costas dele, pronta para fugir. A sacola contendo o sutiã que Vovó lhe comprara e o par de pijamas cor-de-rosa com babados que Hephzi ganhara de mim como um presente extra (Vovó me dera o dinheiro em segredo e piscara, minha cúmplice no plano para a felicidade de Hephzi) estava bem segura junto a seu peito. O corredor cheirava a perigo, como vinho derramado e carne queimada. A Mãe estava de pé, na porta da cozinha, com um pano de prato enrolado no braço.

— Obrigada pelo dia legal, Vovó! — Virei-me para minha avó, copiando sua pretensa civilidade. Eu poderia agir com normalidade se me fosse dada a chance de fazê-lo.

— De nada, meu amor, minha princesa aniversariante. — Ela se curvou para me beijar, mas senti a mão dele segurar meu cabelo e puxar-me para fora do alcance dela.

— Pare com isso! Não ouse!

Eu tentava encontrar os olhos de Vovó para suplicar-lhe que me salvasse e também adverti-la para que ficasse calada, mas seu olhar encontrou o do Pai, e ela deu um passo na direção dele. O topo da cabeça dela mal alcançava o peito dele, ela era pouco mais alta que

Hephzi, mas endireitou os ombros e deu outro passo na direção dele. Ele começou a rir.

— Saia daqui, sua vaca velha e estúpida. E não volte mais.

— Eu não vou sair. Não até que você me prometa que vai começar a tratar essas garotas direito. Não gosto do que acontece nesta casa, é hora disso acabar.

— Caia fora, já falei! — gritou ele bem junto do rosto dela, agora ameaçando-a, empurrando-a para trás.

— Ou você muda seu comportamento ou eu vou tomar providências. Prometo isso a você, Roderick.

Ele a agarrou pelo pescoço e a empurrou com força contra a porta.

— Cale a boca! — Seu dedo empurrou o rosto dela, furioso e frenético. — Cale a sua maldita boca e fique longe desta família. Elas não têm nada a ver com você.

— Eu sou avó delas. Eu tenho o direito.

Eu queria que ela parasse de discutir. Ela devia ter parado de brigar e salvado a si mesma, mas foi muito corajosa. Virei-me para a Mãe, rogando com os olhos, mas ela virou as costas e escapuliu para a cozinha, deixando-os.

— Por favor, não machuque a Vovó! — tentei dizer. — Ela não fez nada, de verdade.

Isso pôs fim a ela. Eu deveria ter mantido a boca fechada, mas sou estúpida desse jeito, sempre piorando as coisas. Ele a jogou para fora da casa, bateu e trancou a porta, fez uma barricada com o corpo e virou o rosto na minha direção.

Respingos de sua saliva atingiam minha bochecha enquanto ele rosnava seu ódio e salpicava-me com seu desgosto.

Depois desse dia, ela desapareceu de nossa vida; ele a fez desaparecer como um gênio forçado a voltar para a sua garrafa. Tudo o que restou foram algumas conversas sussurradas ao telefone, e um cartão de Natal que consegui salvar antes que ele tivesse a chance de destruí-lo. Sua caligrafia era fraca e hesitante, como se sem mim e Hephzi ela estivesse gradualmente se desintegrando.

Ela nunca mais voltou.

A Mãe me cutucou para me acordar do sonho e eu voltei para as orações finais. Havia mais pessoas em torno do Pai que o habitual, e ele estava de pé sobre o altar entregando ovos de chocolate de uma cesta para as crianças que se reuniam em volta dele com as mãos estendidas. Nunca uma cesta teria sido confiada a mim, meu rosto iria assustá-las. Mas Hephzi teria gostado de fazer esse trabalho, e ele a teria deixado fazer.

Ela roubou a cesta uma vez; foi perto de nosso décimo aniversário. Eu a vi desembrulhar um ovo com seus dedos ágeis e, em seguida, enfiá-lo inteiro na boca, com o rosto dissolvido em êxtase. Ao mesmo tempo, ambas percebemos que a Mãe a vira também. Pensei por um segundo que Hephzi iria chorar, mas ela não chorou. Ela pegou outro ovo, tirou-lhe o papel brilhante e o colocou na boca aberta de nossa Mãe, tornando-a cúmplice do pecado. A Mãe não cuspiu. E também não admitiu quando, mais tarde, ele contou os ovos. Adivinha quem levou a culpa?

E agora eu estava presa com ele na casa paroquial.

Parabéns, Hephzi, sussurrei ao fim do dia.

Ela não respondeu. Mas a parede atrás de sua cama se deslocou e gemeu.

Tudo ficou em silêncio depois da Páscoa. Ninguém em particular visitou a casa paroquial e eu não pude sair. Eu contava as horas, e, conforme me disseram para fazer, criei vergonha na cara e aprendi a andar na linha direitinho. Tracei um caminho de dor, e ele deixou novas cicatrizes em meu coração. Sempre que podia brincava do jogo do invisível e fingia que eu não existia.

De vez em quando a Sra. Sparks aparecia, e era sempre um alívio vê-la. Eles odiavam a vinda dela, no entanto, ela nunca percebeu e simplesmente continuou a aparecer, surpreendendo-nos. Quando ela estava presente, ele tinha de ser agradável.

Ela é o que eles chamam de sacristã e é eficiente nisso, lista na mão, caneta em riste, pronta para fazer o serviço onde e quando ela puder. Eu a conheço desde pequena. A Sra. Sparks gosta do Pai. Ele a impressiona com suas palavras difíceis ao ensinar dogmaticamente sobre Deus e Seus desejos para o rebanho. Ela flerta com ele, alisa-lhe os cabelos e se oferece para trazer as flores para a igreja, mesmo quando não é sua vez. Ela não tem ideia. De qualquer forma, ela não entendia o fato de eu ter deixado a escola tão rapidamente quando todos os outros estudantes da cidade tinham voltado para iniciar o período de verão no fim de abril, e seus olhos afiados e rápidos me fitaram enquanto eu trazia em silêncio um chá doce. Ela levantou uma sobrancelha.

— Por que você não está na escola, Rebecca? Os exames serão em breve, certo?

Não me atrevi a responder.

— Querida, tenho certeza de que você é muito útil na paróquia, mas é um fardo para seus pais ter de sustentá-la nessa idade. Se você não se preocupa com os estudos, então tem de encontrar um emprego.

O Pai acenou com a cabeça e fingiu concordar com a avaliação dela, protestando que eu era muito tímida para tentar, mas o que eu sabia era que acabara de conseguir um dia livre. Muito obrigada, Sra. Sparks.

Em vez de viver o restante de minha existência na casa paroquial, eu estava prestes a ir para a porta ao lado.

A porta do abrigo ao lado era o lugar para todas as pessoas que ninguém mais queria por perto. Se você quer descansar o rosto contorcido, se sua voz sai vacilante, se você tem dificuldade para ouvir, se você estiver velho e se esquecendo das coisas, então é ali que você vai acabar. Era para lá que eu estava indo.

— Você vai se dar bem lá — disse ele, rindo, antes de bater a porta, tarde da noite, quando eu estava deitada na cama.

No começo foi difícil. O cheiro das horas vividas na renúncia constante ficou em minha roupa, e eu o levava comigo para meu quarto no fim de cada dia. Não gostei de olhar para aquelas caras; eu não queria sentir o mesmo que as pessoas sentem quando me veem.

Hephzi não iria, ela me disse, não havia maneira de fazê-la pisar naquele lugar.

Aquilo fede a urina, diz ela, *e os esquisitos me assustam*. Suspirei e fui sozinha. Qualquer lugar era melhor que a casa paroquial.

No meu primeiro dia, a mulher no comando, a Sra. Sweet, entregou-me os produtos de limpeza e comecei a trabalhar nos banheiros. Foi um trabalho duro e tentei sonhar enquanto esfregava as manchas amarelo-escuras na borda dos vasos sanitários. Lembrando-me da parte que estava lendo de *Middlemarch* antes do Pai tê-lo rasgado, mantive minha mente fora do passado e terminei a história em minha cabeça. O mau cheiro e as manchas nos vasos sanitários se recusavam a ser ocultados, mas pelo menos eu não precisava temer passos no corredor, esboçando dor. Na hora do almoço, eu estava suada e fedida; tinha de tentar ir à farmácia e roubar um desodorante, como Hephzi fazia. Eu poderia apenas imaginá-la fazendo caretas para mim e apertando o nariz quando eu voltasse mais tarde. Os cuidadores comiam junto com os moradores na sala iluminada pelo sol, e eu senti um nó no estômago enquanto observava as coisas acontecerem de forma desordenada. Observei-os, e, pela primeira vez, eu era a única a observar todos, e foi estranho ver aquelas pessoas, seus rostos enrugados pela vida, usando babadores de plástico e sorvendo por canudos segurados por mãos mais jovens e pacientes. Pesarosamente, olhei para meu prato e mexi na salada. Eu não conseguia comer a sopa, não enquanto via tantos rostos definhando e sendo amassados por tantos punhos.

Eu não me importava com o trabalho. Era mais fácil lá do que na casa paroquial. Os Pais foram me deixando sozinha e, embora eles não acreditassem, o silêncio deles era um alívio. O padrão se repetia dia após dia. Eu limpava, esfregava, ajudava a vestir, a trocar e a alimentar. Hephzi ainda se mantinha longe quando eu estava lá, e eu realmente não podia culpá-la. Ninguém falava comigo, embora sorrissem. Os outros cuidadores e faxineiros eram principalmente trabalhadores estrangeiros, da Europa Oriental ou das Filipinas, mas não importava o fato de eles não entenderem o que diziam os moradores, já que nenhum deles falava coisa com coisa mesmo.

Era outra sexta-feira, mas eu não ia sair. Estava em meu quarto, que estava relativamente limpo. Eu sabia que as manchas estavam aumentando e evitava olhar para elas, mas estavam ficando de tal maneira que, se eu nem ao menos tentasse limpá-las, elas poderiam estourar. O aspirador arrotava e gemia, e, quando terminei de limpar o chão, esfreguei as paredes nas quais ficava encostada a cama de Hephzi. Mesmo enquanto eu trabalhava, parecia que elas continuavam crescendo, inchando como barriga de grávida sobre a tinta que ela esperançosamente passou na parede.

Você está estranha, Reb!, dizia Hephzi, sorrindo, e eu concordava e tentava pensar em outras coisas. Mas as marcas entravam no meu campo de visão sempre que eu movia os olhos. Eu esperava não estar aqui quando elas explodissem. Hephzi riu quando lhe expliquei isso. Ela me disse que eu deveria crescer e deixar de ser um gato assustado.

É bobagem, é apenas umidade, afirmou.

Entretanto, eu não queria ver seu bebê. Eu não queria vê-lo deitado no chão, como geleia, sem olhos ou boca. Eu sabia que tinha de sair — a casa estava cheia de fantasmas.

Nas noites de sexta-feira, Hephzi costumava fugir. Era sua grande noite com Craig, toda semana. Ela não voltaria até as primeiras horas da madrugada; eu sabia porque ficava acordada, esperando, preocupada. Quando Hephzi estava viva, eu não queria um namorado, o pensamento fez meu interior coagular, mas agora... *Agora*. Talvez eu possa encontrar alguém. Alguém que possa me olhar e ver mais que meu rosto.

Hephzi costumava sair pela janela, é um clichê, mas funcionava para ela. Há uma árvore velha pendendo perto de nosso quarto, e Hephzi, de alguma forma, encontrou uma maneira de descer sem quebrar o pescoço. Craig a esperava na rua, em frente à casa paroquial, e ela pulava na traseira da motocicleta dele, e eu tinha de me esticar para ouvi-los saindo pela Avenida Principal. Fui até a janela e a abri. Inclinei-me e olhei para fora. A noite estava calma e silenciosa, eu respirava o doce ar fresco e a meia-luz batia em meu rosto.

Como Hephzi conseguia ser tão valente? Como ela conseguia arriscar-se noite após noite? Pedi-lhe que me contasse, que me desse um pouco de sua coragem e um pouco de seu coração, mas ela não disse palavra.

Cautelosamente, subi no parapeito, esperando que a lâmina da janela não descesse sobre mim como uma guilhotina, dividindo-me em duas. Eu costumava mantê-la aberta para Hephzi. Por muito tempo fiquei sentada ali, metade do corpo para dentro, metade para fora. Quando ficou muito escuro e começou a esfriar, voltei para dentro e sentei-me em minha cama, olhando para a saliência na parede oposta.

Hephzi

Antes

No dia seguinte, fui para a escola, apesar de Rebecca ainda estar muito mal. Ela teria de ficar na casa paroquial até que estivesse em condições de ser vista. Mas uma de nós teria de ir à escola ou, conforme a Mãe disse, poderia haver falatório. Enquanto saía de casa e subia a rua em tempo recorde, senti-me culpada pela sensação de liberdade. Craig estava lá no portão, fumando, bonito, com seu boné caindo-lhe na testa. Fui devagar, fazendo-me de interessante.

— Tudo bem? — perguntou-me quando fui me aproximando. Com um movimento de cabelo, abri um sorriso rápido em sua direção e continuei andando como se fosse passar direto, sem parar para conversar. Craig entrou na minha frente, bloqueando minha passagem, e percebi como ele é alto, agora que estávamos tão perto um do outro, e olhei em seus olhos, tão escuros e sensuais como eu imaginara.

— Oi! — De onde saiu essa voz? Eu estava parecendo uma menininha.

— Para onde está indo com tanta pressa?

— Para a chamada — disse eu, alterando minha voz, sorrindo com os olhos, mas fazendo cara de falsa reprovação.

— Isso é perda de tempo. Vamos cair fora daqui.

Era isso. A hora da verdade. Mais cedo ou mais tarde isso aconteceria, ele descobriria que sou uma grande fracassada. Se tivesse sido em qualquer outro dia, eu estaria fora da escola num estalo, mas, se eu desaparecesse e meus pais descobrissem, Rebecca seria castigada novamente. E eu também. Por outro lado, sei que, se não fosse com

Craig dessa vez, ele provavelmente não iria mais se preocupar em me chamar no futuro. Aquela poderia ser minha única chance. Ele deu um pequeno sorriso e tocou em minha cintura. Eu estava prestes a me render.

— Desculpe, eu tenho prova. Não posso faltar. — Reb ainda me pedira para anotar a lição de casa para ela.

Ele deu um passo atrás, deu de ombros, olhou para o outro lado e partiu, correndo, indo para qualquer lugar que não o bloco de ciências. Esforcei-me para que minhas pernas me levassem na direção certa e eu me desse mal na prova.

Contudo, quando chequei o Facebook na hora do almoço, havia uma mensagem. Do Craig.

Espero que você não fure no sábado.

Achei que isso significava que ele ainda estava interessado em mim. Contei a Samara, e ela concordou, disse que eu fizera a coisa certa:

— Trate-os mal, mantenha-os interessados, garota. É assim que funciona!

Concordando, guardei a informação para referência futura. Eu pensava ter aprendido todas as regras, mas, pelo jeito, ainda faltava muita coisa. Após o almoço, nós duas tínhamos aulas vagas, então fui para a casa de Samara, ela sintonizou na MTV, e fiquei fazendo anotações mentais. Daisy certamente assistira a alguns desses clipes muitas vezes; eu me lembrava dela dançando no pub. Ela sabia todos os passos certos e tinha todas as roupas certas. E toda a arrogância. Suspirei. Craig nunca olharia para mim enquanto ela estivesse por perto. Samara disse que isso não era verdade e que eu era tão bonita quanto Daisy. Não consegui evitar um sorriso. Eu sempre quis ter uma amiga, e a sensação era melhor do que eu imaginava, era uma sensação gostosa e quentinha, na barriga e na garganta, assim como a que nos proporcionava o chocolate quente que a Vovó nos oferecia quando voltávamos do parque. A mãe de Samara entrou no quarto com bebidas e guloseimas. Ela abriu um largo sorriso para mim e me convidou para voltar. Aparentemente, por ser a filha do pastor, devo ser uma boa menina, ao contrário de Daisy, que é uma má influência. Foi isso que Samara cochichou para mim enquanto eu ia embora sob uma enxurrada de outros convites. Nós rimos, eu joguei a mochila sobre meu ombro, prometendo que pediria a Craig que a deixasse ir à festa dele, e parti, sentindo-me bem como havia muito tempo não me sentia.

Ao voltar para casa, não percebi ninguém andando atrás de mim até que já era tarde demais. Ele agarrou meu braço, segurando apertado, do jeito que eu conhecia tão bem, e virei para encará-lo.

— Não vai ficar na escola esta noite, Hephzibah?

Balancei minha cabeça. O que meu pai estava fazendo, seguindo-me, espionando-me na rua?

— Estive fora, fazendo minhas visitas. Muitas pessoas no bairro precisam de mim, sabia, Hephzibah?

— Eu sei.

— De fato. Bem, é estranho. Talvez você possa me ajudar a esclarecer certo mistério. — Sua voz era um poço escuro, frio e perigoso, no qual eu poderia cair sem deixar nenhum rastro.

— Sim?

— Alguém me disse que viu você no último fim de semana, bem, na sexta-feira à noite, para ser mais preciso. Andando pelas ruas.

— O quê?

— E então? — Ele apertou mais forte e eu tentei escapar. Seu rosto estava inflexível. — Espero poder confiar em você, Hephzibah.

— De-devem ter se confundido — gaguejei.

— Se eu quiser, posso acabar com suas ambições no colégio. É bom você se lembrar disso, não acha?

Acenei com a cabeça. Ele soltou meu braço, mas ficou muito perto, andando de modo que nossos ombros quase se tocavam. Pensei que ele havia terminado, no entanto, começou de novo.

— O que quero dizer, sendo mais preciso, é que não quero mais ouvir nenhuma história sobre uma filha minha se comportando como uma vagabunda. — Ele se inclinou ao pronunciar as últimas palavras, sussurrando em meu ouvido. Acenei freneticamente com a cabeça, desesperada.

Rebecca o odiava, porém, como ele era menos severo comigo, eu conseguia fingir que não o odiava. Eu fazia o que tinha de fazer para sobreviver. Mesmo que tivesse de fingir que os seus piores atos não aconteciam de fato. Eu não era forte como Reb, mas ela era burra. Dava para ver a aversão dela por ele pulsando como ondas radioativas, e ele a pegava desse jeito, várias e várias vezes.

— Espero que você esteja se esforçando nos estudos. — Eu engoli e acenei com a cabeça. — Sua mãe não ia bem na escola. Ela não precisou, pois se casou comigo. As ambições de uma mulher servem melhor a uma casa, Hephzibah. Este é um mundo moderno, e as pessoas esperam atitudes modernas, mas, pessoalmente, acho o jeito antigo melhor. Você não concorda?

O tom da conversa era tão perigoso quanto as ameaças e eu apertei o passo. Ele me acompanhou com facilidade.

— Eu disse: você não concorda?

— Acho que sim.

— Então não vai mais haver nada dessa besteira.

— Ah, mas eu quero muito terminar este ano escolar. Por favor. — Falei num tom suave e lisonjeiro e tentei sorrir de um jeito que sempre me ajudava a conseguir as coisas.

— Veremos.

Minha única chance de escapar era desaparecer. Em pânico, esforcei-me para pensar em algo que justificasse o que eu disse.

— As pessoas vão achar estranho se nós largarmos a escola assim que começamos. É apenas minha terceira semana! E estou aprendendo muitas coisas. Eu juro, coisas que serão muito úteis. Imagine como ficará orgulhoso de mim quando eu tirar boas notas!

Ele respirou puxando o ar entre os dentes, e, ainda bem, estávamos de volta à casa paroquial antes que eu me metesse em alguma encrenca. Corri e subi as escadas para ver Rebecca, que ficou feliz quando entrei no quarto. Seu rosto ainda estava inchado, mas um pouco melhor que antes, e seu sorriso era mais sincero.

— Como foi o dia?

— Ótimo.

— Como foi na prova?

Fiz um sinal de desdém.

— Me dei mal, com certeza. Mas nem ligo. O Craig estava me esperando hoje de manhã.

— O quê?

— É, ele queria que eu matasse aula com ele.

— O quê? — Com a voz uma oitava mais aguda. — Você não matou, né?

— Não. Mas só por sua causa.

Olhei para ela de modo firme, e ela acenou com a cabeça, afundando-se de volta na cama.

— Da próxima vez, vou sumir daqui, rápida como uma flecha, isso eu garanto. Não tenho tempo a perder, Reb, é sério. Você Sabe Quem me seguiu até em casa. Era como se ele estivesse me rastreando, e aí ele começou a falar sobre o colégio e que as garotas devem ficar em casa. Toda essa merda. Enfim, ele vai tentar fazer a gente parar de ir, então, preciso arrumar uma saída e rápido. Essa é minha única chance.

Houve uma longa pausa que eu mal percebi, até que ela falou novamente, numa voz tão baixa que eu mal escutei.

— E quanto a mim?

Dei um grande suspiro exagerado. Com as mãos na cintura, parei ao lado dela.

— Deus ajuda àqueles que se ajudam, Rebecca. Você já sabe disso.

Ela conseguiu dar uma risadinha. Sentei ao seu lado.

— Falando sério, irmã, você precisa pensar no que vai fazer. Você não pode ficar aqui para sempre. Não é seguro. Ele vai matá-la qualquer dia desses. — Ela agarrou meu pulso com força.

— Eu sei. Eu sei. Mas como eu posso fugir? Para onde eu poderia ir?

— Comece a dar um jeito nisso.

— Bom, que tal se eu fosse com você? — Ela soava chorosa. Apertei sua mão gentilmente.

— Por mim, estaria tudo bem, Reb, você sabe disso, mas ainda nem sei como vou fazer para sair, não é? Então não posso prometer nada. Seria melhor se tivéssemos cada uma seu próprio plano.

— Por que nós não vamos embora juntas? Simplesmente fugimos?

— Com que dinheiro? Não temos um lugar para ir e não quero viver como uma mendiga, fugindo, vivendo nas ruas. Não! Nós precisamos de ajuda. Você precisa começar a pensar nisso.

— Você não precisa depender de um garoto, você sabe.

— Pelo menos é um plano. É melhor que nada.— Fiz uma pausa e resolvi me defender. — E não estou dependendo totalmente dele, eu só gosto dele, tá?

Ela deu de ombros. Eu sabia que me achava patética, mas ela era tanto quanto eu. Ela não estava fazendo nada para ajudar a si mesma. Mas eu não podia tê-la pendurada em mim, dependendo de mim. Eu não poderia cuidar de tudo para nós duas. Não conseguia fazer isso nem comigo mesma, e era por isso que eu precisava da ajuda de Craig. Tinha medo de fazer tudo por minha conta.

Após um tempo, ela falou:

— Você precisa de mim tanto quanto eu preciso de você, sabia?

Nem me preocupei em responder. Ela veria o quanto estava errada.

A festa de Craig estava me deixando muito preocupada. Eu não só tinha minha própria irmã gêmea se recusando a me ajudar, como também meu pai de olho em mim, observando-me não importava aonde eu fosse. Ou, se não ele, seus espiões. Só Deus sabe quem estava contando coisas para ele. Meus professores? Meus amigos? Não imaginava do que ele era capaz. No entanto, se eu não aparecesse, sabia que as coisas com Craig iriam por água abaixo de uma vez por todas.

Minha cabeça girava em pequenos círculos tentando pensar num jeito de ir à festa. Eu me ajoelhei para Rebecca, mas ela não cedeu. Não adiantava pedir a Deus, eu não achava que ele estivesse ouvindo a gente. Como eu disse a Reb, você precisa ajudar a si mesmo.

Talvez eu conseguisse que Samara me convidasse para ir à casa dela, aí sua mãe ligaria para falar com a minha mãe e diria que estou convidada para passar a noite lá. Entretanto, eu não sabia como sugerir essa ideia a Samara e estava preocupada com o que eu deveria ter que dizer para que ela me ajudasse. Muitas coisas poderiam dar errado nesse plano, ela poderia querer vir aqui, ou algo do tipo, e de modo algum isso poderia acontecer.

Falei com a Mãe na quinta-feira à noite, após ter passado o dia pensando no que fazer. São Roderick saíra para uma reunião do conselho paroquial e não havia chance de nos interromper. Encurralei-a na cozinha. Ela estava limpando e arrumando as coisas, distraída e ocupada como sempre. Estava frio na cozinha, mesmo com um tempo anormalmente quente para o fim de setembro, e tive um arrepio. Ela não quis parar e me ouvir, mas eu a empurrei para uma cadeira.

— Olha, é o seguinte. — Debrucei sobre ela, e, apesar de seus olhos parecerem desafiadores, eu sabia que poderia fazê-la ceder. Se eu não soubesse que conseguiria fazê-la me ajudar, não teria nem por que tentar.

— Como é que é? — Ela cruzou os braços e piscou rapidamente.

— Eu preciso sair sábado à noite. Preciso que você dê um jeito.

— Você não pode sair.

— Posso sim. Se você não der um jeito, então, eu vou contar.

— E o que você quer dizer com isso? — Ela arregalou os olhos penetrantes e me fitou de um jeito mortal. Eu sabia que ela sentia ciúme de mim, mas eu ainda era sua favorita. Ela não daria a Rebecca nem a merda em que ela pisara. Na verdade, favorita é a palavra errada, eu era apenas a que ela odiava menos. As coisas seriam melhores entre mim e ela se ele não ficasse me assediando, eu sabia que era isso que a incomodava, mas eu não o encorajava a isso, embora ela pensasse o contrário. Agora não era tão ruim como quando eu era mais nova, mas havia algo no jeito de ele olhar para mim que às vezes me fazia tremer. Apesar de ele nunca ter feito nada além de segurar minha mão, escovar meu cabelo ou me fazer sentar em seu colo. Eca. Eu tinha 16 anos, não era mais uma bonequinha. Eu não me esquivava, pois isso só pioraria as coisas, mas tentava não ficar sozinha com ele, Reb fazia questão de garantir isso.

Parti para o ataque.

— Eu vou fazer meus professores e todos mais que quiserem ouvir saberem exatamente o que se passa nesta casa.

Ela projetou o queixo, determinada.

— Você não ousaria. Seu pai vai dar um jeito em você.

— Não, ele não vai. Se você não fizer isso por mim, juro que farei da sua vida um inferno.

Ela nem imaginava que eu estava prestes a molhar as calças de tanto medo. Chantagem, se é assim que se podia chamar, era coisa nova para mim, mas eu estava desesperada e disposta a tentar qualquer coisa. No passado, eu já a manipulara apenas imitando nosso Pai, gritando, batendo o pé, dando a ela o tratamento do silêncio ou, caso aquilo tudo não funcionasse, empurrando-a e ameaçando-a. Eu era maior e mais forte que ela. Ela era quase tão magra quanto Rebecca. E eu estava torcendo para não ter de apelar para isso. Ia me fazer sentir como ele.

— O que você quer que eu faça?

Ela cedeu muito rápido e eu a olhei cautelosamente.

— Certifique-se de que ele esteja ocupado no sábado à noite. Garanta que eu possa sair e voltar sem que ele saiba.

Fiquei esperando ela rir da minha cara.

— Como? — disse ela, com seu tom de voz patético.

— Sei lá. Beber? Fazer sexo? Rezar? Qualquer merda que vocês dois façam juntos. Estou pouco me lixando. — Eu nunca falara coisas assim a ela antes. O palavrão não foi planejado, mas confesso que ajudou bastante no efeito final. Ela ficou verde. — Temos um acordo, então?

Muito, muito lentamente acenou com a cabeça e me afastei, mas ela não demonstrou muita pressa para se levantar. Se ela desistisse do nosso acordo, seria meu fim. Ela certamente enxergava isso. O fato de confiar nela para me ajudar significava que ela teria de decidir. Ou eu. Ou ele. Essas eram as opções.

Depois disso, as horas se passaram muito devagar. Graças à sacola de doações da Sra. Sparks, eu finalmente tinha uma roupa mais ou menos decente para vestir, então poderia quase relaxar em relação à minha aparência. Peguei um blush novo na farmácia hoje, no caminho da escola para casa, e o adicionei ao meu estoque. Agora eu já tinha um gloss, a sombra da Mãe, o blush e um rímel velho que vi Daisy jogar no lixo do banheiro das meninas, na escola. Eu voltei lá e o recolhi, e ainda havia bastante, como eu imaginava. Daisy tinha tudo e eu tentava não sentir inveja disso, ou pelo menos não deixar que ela percebesse quanto eu cobiçava suas coisas. Mas ela ainda não voltara a conversar comigo desde a bagunça sobre os convites da festa, e eu não a perdoara pelo que ela dissera sobre Rebecca, então achava que ela não era mais minha amiga. Eu supunha que ela apareceria de qualquer jeito, e Samara também pensava assim. Daisy odiava perder qualquer coisa. Nós andamos reclamando dela um pouco, no entanto, eu tomava cuidado para não falar demais, por precaução. Ela e Samara eram amigas desde sempre, e eu não sabia se podia mesmo confiar em Samara. Às vezes, as pessoas não acreditam no que dizem.

Com Craig, porém, seria diferente. Você pode contar o que quiser para seu namorado, é assim que funciona, e eles lhes contam seus segredos também. Nós faríamos tudo juntos. Ele seria meu novo melhor amigo e me amaria mais do que qualquer um já amou. Seria como num dos livros que Rebecca lê. *Jane Eyre*[7] talvez, mas ele não seria cego, e eu não seria chata. Ainda assim, ele me amaria daquele modo — apaixonadamente, como se pudesse morrer por mim se preciso fosse. Talvez fôssemos mais como Elizabeth Bennet e o Sr. Darcy.[8] Ele tinha de me ajudar a fugir, e foi isso que Darcy fez, ele resgatou Elizabeth de sua terrível família, e Craig poderia fazer o mesmo, porque eu tinha certeza absoluta de que não conseguiria fazer tudo sozinha, e Rebecca estava enganada se achava que poderíamos conseguir nos virar juntas lá fora. Eu não conseguia nem cuidar de mim mesma, imagine cuidar dela também. Você tem de conhecer suas limitações. Sem dinheiro ou qualificação, eu não conseguiria ir além da cidade mais próxima, e ele me perseguiria, me pegaria e me traria de volta tão rápido quanto quisesse.

Craig não era um nome muito romântico. Se ele tivesse um nome como Fitzwilliam ou Heathcliff seria melhor. Mas eu não era tão superficial a ponto de ligar para esse tipo de coisa. Ele era legal e inteligente e gostava de mim. Essas eram as coisas mais importantes.

Rebecca disse para eu ir dormir, então eu tentaria cochilar um pouco, mesmo que os pensamentos não quisessem me deixar em paz. Pedi a ela que me contasse uma história e ela me contou a de Darcy novamente. Uma alegria.

---

[7] Romance da escritora inglesa Charlotte Brontë. (N.T.)

[8] Personagens do livro *Orgulho e preconceito*, de Jane Austen. (N.E.)

Rebecca

Depois

Quanto mais horas eu trabalhava na Casa de Repouso, mais eu recebia. Ele não poderia pedir para receber em meu lugar, então eu tentava esconder algum dinheiro. Você poderia achar que eu aprendera a lição, mas eu não era boa aluna. Não mais. Como você pode ver, eu encontrara outra coisa na qual era boa. As pessoas da Casa de Repouso estavam satisfeitas comigo, a Sra. Sweet disse que eu era uma profissional, e eu estava começando a me dar conta de que tinha alguma chance. Como eu sempre dizia a Hephzi, nós conseguiríamos isso por nós mesmas. Vovó dissera isso também e ela estava certa. Quando eu fazia um dos residentes sorrir largamente ou quando apenas estava no lugar certo quando precisavam, eu sabia que não era uma inútil. *Grande coisa*, dizia Hephzi, mas isso era importante para mim.

Eu tinha certeza de que o Pai sabia que eu estava economizando, mas eu estava me dando bem até então com meus pequenos atos de rebeldia. Ele estava bebendo mais e mais, e a atmosfera na casa paroquial ficara tão pegajosa quanto a cola que usam na Casa de Repouso quando os residentes fazem trabalhos manuais. Penas, lantejoulas, feltro; eu os ajudava a fixar as coisas e limpava o chão depois que terminavam. A visão deles sentados como um bando de reis e rainhas loucos, usando coroas brilhantes e sorrindo, fez-me sorrir.

Pela manhã, eu saía de casa para ir ao trabalho, puxava a porta, fechando-a atrás de mim, e tomava grandes goles de ar fresco. O começo do verão estava quente e doce, e eu bebia e percorria grandes distâncias sem direção antes de retomar a estrada que levava à

Casa de Repouso. Eu me sentia bem por me desprender de minha pele pegajosa da casa paroquial. Era bom ser como uma pessoa normal. Se eu visse a Sra. Sparks, eu acenaria. O carteiro disse oi para mim, e eu sorri. Eu quase conseguia esquecer os pesadelos que deixara para trás no meu quarto. Tentava não me preocupar com eles todos, presos ali, chorando e murmurando; afinal de contas, eu convidara Hephzi para vir comigo até o trabalho, e ela escolheu ficar em casa.

Eu estava me acostumando com as pessoas da Casa de Repouso também; eles não eram uma ameaça e, às vezes, se eu esperasse o suficiente, um deles poderia abrir os olhos, e eu conseguiria, por um momento, ver quem eles tinham sido. Uma senhora idosa, de quase cem anos, com olhos azuis incrivelmente brilhantes. Eles brilhavam em seu rosto, nítidos, estrelas piscantes, e eu sabia que ela estava pensando em coisas que não podia dizer. Eu me sentava e segurava sua mão sempre que tinha um tempo, e ela gostava, eu sabia. Hoje encontrei uma pilha de livros na sala de convivência, alguém deve tê-los doado e eles foram empilhados numa mesa de café, parados. Não eram clássicos nem nada especial, no entanto, eram livros, histórias, páginas com palavras. Decidi que leria todos eles. Talvez eu os lesse em voz alta para minha nova amiga, pensei que ela pudesse gostar.

Enquanto trabalho, faço planos. Danny, o cozinheiro, sempre ri de mim e me pergunta com que estou sonhando. A primeira vez que ele me falou isso eu corei.

— Está tudo bem, querida, eu não mordo!

Baixei os olhos e fui para longe, mas, de vez em quando, eu reunia coragem para parar e conversar um pouco com ele. Danny ouviu quando falei sobre Cyrilla, a senhora de olhos azuis, e disse que faria o prato favorito dela com mais frequência. Ela não podia mastigar, então tínhamos de amassar tudo, mas eu sabia que ela gostava muito de seu rosbife com batata assada e molho. Ela nunca cuspiu isso.

— Então, o que uma garota legal como você está fazendo num lugar como este? — perguntou-me Danny enquanto eu o ajudava com os vegetais para o almoço. De alguma forma, ele dera um jeito de eu ser transferida dos banheiros para a cozinha. Levava séculos descascando, fatiando e picando, mas era definitivamente mais divertido que esfregar os banheiros. Dei de ombros.

— Quantos anos você tem?

— Dezessete.

— Bem, você não deveria estar na faculdade ou algo assim? Meu filho, Archie, que acabou de completar dezesseis, está fazendo os exames de qualificação do Ensino Médio. Ele está pensando em continuar, obter mais qualificações. Você não quer passar o restante de sua vida cortando vegetais, quer?

— Não. Não quero. — Olhei ao redor, arrependida, esperando que ninguém tivesse me ouvido. Não queria que pensassem que eu estava sendo ingrata.

— Então? Vá, termine a escola, encontre algo que você goste de fazer e busque seu sonho.

— Eu tentei. Eu não era boa o suficiente.

— No quê?

— Matemática.

Ele riu.

— Existe vida além da matemática.

— Não era apenas isso. Os outros alunos, os professores, eles não gostavam de mim. Eu não me encaixava lá.

— Olhe. — Danny parou o que estava fazendo e veio até mim, ficando ao meu lado. Olhei seu peito largo. Então ele agarrou meus ombros e eu tive de levantar os olhos e encontrar seu olhar. Ele foi incrivelmente gentil. — Sua aparência não importa, querida. Talvez esses alunos ajam de forma estranha, mas você tem de lhes dar uma chance. Meu caçula, Ben, tem síndrome de Down. Ele frequenta a escola e tem um monte de amigos. Não desista de sua vida. Certo?

Senti as lágrimas começarem a escorrer, então deslizei minha cabeça para a frente, para que ele não visse. Se Danny fosse meu pai, as coisas teriam sido diferentes. Eu teria sido diferente.

— Olhe — disse ele. — Há um mundo grande lá fora, e este é um lugar pequeno. Cidade pequena, mentes pequenas. Você pode ser maior que isso. OK? — Ele me deu um tapinha no ombro, gentilmente, com sua mão enorme. Lancei-lhe um sorriso em meio às lágrimas, esfregando o rosto com a manga da blusa. — Agora, de volta às cenouras! — Eu sorri novamente e voltei a descascá-las.

No dia seguinte, ele me convidou para ir à sua casa para almoçar, para conhecer seus filhos e sua esposa no próximo domingo.

— É meu dia de folga. Cheryl faz um assado delicioso. Venha, ela vai adorar conhecer você.

Não respondi. Era meu primeiro convite, o que eu deveria dizer? Eu queria agradecer-lhe. Entretanto, aos domingos, eu trabalhava em casa, tinha de limpar a igreja, comparecer aos serviços, lavar a roupa e participar das orações. A Mãe nunca me deixaria sair, e eu nem pediria ao Pai. Não nos falávamos havia mais de uma semana, e era melhor assim. Então, só balancei a cabeça, e ele encolheu os ombros, tentando não parecer aborrecido. Acho que provavelmente deixei Danny chateado, aposto que ele diria à sua mulher que eu era um bicho assustado, mas eu não podia explicar, não tinha palavras.

— Quem sabe outro dia. Avise-me quando puder.

Concordei e saí de fininho para ser útil em algum lugar, as areias movediças da decepção seguravam meus tornozelos. Naquela noite, eu estava deitada na cama me perguntando como eu poderia ir à casa de Danny. Hephzi riu silenciosamente. Se eu não tivesse coragem sequer para fazer uma visita a um amigo, então como conseguiria sair daquele lugar? Eu lhe disse para ficar quieta e ela falou que Danny era um bastardo estúpido e velho. Decidi que teria de me arriscar e mentir.

Hephzi

Antes

Era sexta-feira e eu estava maluca procurando por Craig em cada canto, em cada sala de aula. Ele não estava em lugar nenhum e a frustração me alcançou quando Rebecca começou a me importunar no caminho de volta à casa paroquial.

— Então você vai mesmo a essa festa, né?

— Sim.

Eu estava debruçada na janela observando o céu. Ele estava repleto de estrelas e se estendia ao longe. Eu imaginava onde Craig estaria, sob qual pedacinho do céu. Suspirei.

— E se você for pega?

Eu não lhe contara o que dissera à Mãe. Não sei por quê, mas precisava de alguns segredos por ali, e, de qualquer jeito, eu não podia ficar com Rebecca em minha cabeça cem por cento do tempo. Nós normalmente contávamos tudo uma para a outra, no entanto, agora as coisas eram diferentes e ela teria de aprender a se virar sem mim.

— Só segure as pontas para mim, OK?

Virei para olhá-la, e ela estava com os joelhos dobrados sob o queixo. Seu pijama era muito curto nas mangas e nas pernas, ela era toda cotovelos e tornozelos e aquele rosto triste. Suspirei novamente. Ela entendeu a mensagem e deslizou para debaixo das cobertas.

— Vai dar tudo certo — prometi-lhe. — Você não vai se meter em nenhuma encrenca e eu vou ter uma ótima noite. Fique feliz por mim, Reb, OK?

Ela encolheu os ombros em algum lugar debaixo do cobertor e murmurou algo que não entendi. Quem se importava?

Eu, porém, não conseguia dormir de preocupação.

Por volta de meia-noite, repentinamente me dei conta de que Craig, afinal, poderia não estar a fim de mim. Eu não tinha muita experiência com essas coisas, talvez não tivesse entendido os sinais, coisa que poderia ter acontecido facilmente. Eu pareceria uma perfeita idiota. Ou poderia ser uma piada e, quando eu chegasse lá, todos apontariam para mim e ririam. Sentei-me na cama, horrorizada, e quase acordei Rebecca sacudindo-a para perguntar o que ela achava. Mas ela estava tão quieta e calma, para variar, que não insisti em perturbá-la. Os pesadelos dela normalmente a mantinham acordada por metade da noite; ainda bem que conseguia dormir, mesmo com eles. Em vez disso, disse a mim mesma que ficasse tranquila, não parecesse muito desesperada e deixasse que ele viesse atrás. Samara e Daisy riam de meninas que ficavam atrás dos caras — elas são tristes, fracassadas, patéticas. Eu não queria que as pessoas falassem isso de mim. Como Samara dizia: "trate-os mal, mantenha-os interessados". Eu só queria que ele gostasse de mim.

Mesmo estando cansada de manhã, não importava. Nós limpamos e esfregamos os degraus da igreja e, enquanto fazíamos isso, eu cantarolava. O olhar cortante de Rebecca cruzou em minha direção, ela podia sentir minha ansiedade e isso a estava deixando louca. Eu estava tão animada que quase a chamei para ir também, mas então me lembrei do que Daisy dissera e fechei a boca. Não queria que as pessoas rissem dela. Ou de mim. Ela não saberia o que vestir, ou dizer, ou fazer, e ficaria pendurada em mim o tempo todo. Rebecca poderia melhorar sua aparência se ela se esforçasse um pouco mais. Ela nunca seria bonita nem nada assim, mas, quando você se acostumava, seu rosto não parecia tão feio. A Vovó costumava dizer para nossos pais que eles deveriam levá-la ao médico, ao dentista, em consultas no hospital por causa de sua audição, mas eles nunca a levaram. Seu aparelho auditivo era um modelo antigo, que ela conseguira quando teve aquele ataque depois que ele bateu muito forte nela e a Sra. Sparks viu e tiveram de levá-la ao hospital. As enfermeiras perceberam que ela não podia ouvir e deram um jeito. É claro que ele se livrou de toda a história sem muitos problemas. As pessoas são tão crédulas e, sempre que ele lhes conta que é pastor, é como se dissesse que é Jesus ou algo assim. Ao fim das contas, arrumaram para ela aquele parafuso na cabeça, com uma caixinha que fica junto dele, e por um tempo ela dizia que era como se as pessoas gritassem com ela o dia todo. Não demorou muito para que ele quebrasse o aparelho e ela voltou praticamente a ter de ler lábios. Se a Mãe me delatasse, eu contaria sobre isso também, sobre como eles não deixavam minha irmã curar os ouvidos, ou arrumar os dentes, ou realizar uma cirurgia. Eu procurei na Internet e descobri que existem coisas que podem ser feitas para as pessoas com essa síndrome, coisas sobre as quais eu não sabia e que Rebecca decerto nem sonhava. Quando eu estivesse livre, eu a ajudaria, não a deixaria para trás para sempre. Talvez ela até pudesse viver comigo e com Craig, assim que ele se acostumasse com ela, e poderíamos ser uma família normal.

Não levei muito tempo para ficar pronta. Tomei um banho, mesmo que isso não fosse permitido num sábado, nem em nenhum outro dia, na verdade. Mas ele saíra, então eu podia. Ele dizia que uma vasilha com água fria era suficiente, o idiota. Lavei meu cabelo com o pouquinho de xampu que vinha guardando para essa ocasião. O cheiro era delicioso. Eu adorava meu cabelo e ele estava lindo e cheiroso como deveria. Era longo, castanho-claro e ondulado, mais bonito ainda que o de Daisy. Eu fingia ser uma sereia e deixava o cabelo flutuar sobre meu rosto enquanto me esticava sob a água morna. Rebecca assistia a tudo silenciosamente enquanto eu me vestia e secava o cabelo, então ela veio e o cheirou.

— O que é isso?

— O que você acha, idiota?

— Onde você conseguiu?

— Da Samara.

— Você roubou?

— Só um pouquinho — disse eu, tentando não me irritar com ela. — Ela não vai nem perceber, eles têm um monte. — Da última vez que eu estive lá, coloquei o máximo que pude num pequeno frasco de plástico que roubara do laboratório de ciências especialmente para aquele fim, e não estava me sentindo culpada por aquilo. Por que as outras pessoas podiam ter todas as coisas boas? Eu achava que merecia um pouco também.

Rebecca ficou quieta. Ela me observava.

— Sobrou um pouco?

Olhei para ela, que ficou vermelha como um tomate. Acenei com a cabeça lentamente.

— Sim, um pouquinho, por quê?

Ela deu de ombros e eu procurei em minha bolsinha e entreguei o frasco a ela.

— Aqui. Pode ficar, tá?

— Obrigada. — Ela acenou com a cabeça e enfiou o frasco debaixo do colchão. Um tesouro. O cabelo de Rebecca era bom também, não era tão volumoso quanto o meu, mas ainda assim era bonito quando estava limpo e penteado. Correndo para terminar de me arrumar, passei o rímel, o blush e o gloss e virei-me para que ela pudesse dizer o que achava. Ela observou e balançou a cabeça de novo.

— Ficou bom.

— Ah, claro, muitíssimo obrigada.

— O que você quer que eu diga?

— Nada. Esquece. Estou indo.

— Você vai simplesmente sair pela porta da frente? Como se isso fosse uma coisa normal e tal?

— Sim. É exatamente isso que vou fazer, Rebecca. Até logo!

Saí e desci as escadas, a casa estava silenciosa e eu tinha certeza de que meus pais não estavam lá, estariam provavelmente na igreja, ao lado, ou visitando um paroquiano. O que tornava a oportunidade perfeita. Escutei minha irmã me falando para tomar cuidado e apertar o passo.

A casa de Craig não era longe, mas eu ia chamar Samara primeiro, então fiz um pequeno desvio. Eu estava andando tão rápido que quase corria, e evitei olhar para trás. Fiquei esperando sentir uma mão saindo da escuridão da noite, agarrar meu ombro e levar-me de volta à casa paroquial, onde iria decretar sua vingança. Não era à toa que eu estava suando quando cheguei à casa de Samara. Ela estava pronta e tentamos sair imediatamente, mas sua mãe nos colocou para dentro e fez um interrogatório, além de mandar Samara colocar um casaco. Finalmente conseguimos escapar e corremos rindo pela estrada.

Ainda eram oito e meia quando chegamos à casa de Craig. Lembrei a mim mesma sobre não ficar bêbada e vomitar dessa vez, para ser indiferente e descolada. Eu segui em direção a casa, mas Samara parecia relutante.

— Está muito cedo.

— Ah, é?

— Sim. Ninguém chega a uma festa em casa tão cedo assim.

— O que a gente faz, então? — Senti-me meio boba de repente.

— Daisy está indo ao pub. Vamos ver se a gente consegue encontrá-la.

Eu realmente não queria fazer isso e estava pensando em como dizer a ela quando um grupo de rapazes parou o carro na frente da casa de Craig. Eles desceram e seguiram pela calçada, desaparecendo na pequena casa, que pareceu engoli-los.

— Viu? — falei, gesticulando, e em seguida fomos para mais perto, ouvindo a batida pulsante da música enquanto nos aproximávamos da casa.

A porta da frente estava aberta, convidando-nos, e seguimos pelo saguão vazio até a sala e dali até a cozinha. Algumas meninas que eu não conhecia estavam servindo vinho e rindo, elas nos olharam e depois voltaram a conversar.

— Onde está Craig? — cochichei para Samara.

— Como posso saber? — Ela cochichou de volta e tropeçamos no degrau dos fundos, indo para o quintal. Formas escuras lentamente se modelavam em corpos enquanto nossos olhos ajustavam-se novamente à luz, que diminuía rapidamente. A música estava mais alta lá, e senti uma onda de sangue fluir no meu coração, minha boca ficou seca quando alguém saiu das sombras e andou em nossa direção.

— Tudo bem?

Acenei com a cabeça. Samara também. Craig parou e me olhou de cima a baixo. Ele não disse nada. E então:

— Você quer beber alguma coisa?

— Sim, por favor. — Já me esquecera de que deveria tomar cuidado, e fiquei ansiosa para que ele botasse uma garrafa gelada na minha mão. O líquido era doce e ácido, e então dei um gole, e depois outro. Ele me deu um cigarro também e, ao aproximar-se para acender o dele junto com o meu, a chama do isqueiro iluminou brevemente seu rosto, e ele deu um rápido sorriso para mim. Súbito, tudo ficara muito bom.

Mais pessoas chegaram e fiquei conversando com algumas garotas que eu conhecia da escola e outras que não conhecera ainda. Craig me apresentou para seu irmão mais velho, Jamie, e me deu outra garrafa de uma bebida alcoólica, doce e pegajosa, que me fez rir de alguma coisa boba. A música estava mais alta e alguém me arrastou para dançar na sala de estar, onde luzes piscavam e brilhavam nas paredes, e todos os móveis haviam sido empurrados para os cantos. Tentei entender como a sala realmente era em um dia normal e fiquei imaginando por que os pais de Craig o teriam deixado dar aquela festa. Os pensamentos não ficaram em minha cabeça por tempo suficiente antes de virarem pequenas fagulhas voando pelo espaço, então fui dançar com os outros. Como estava escuro, eu não me importava, achava que estava tão bonita quanto qualquer outra e me esforçava para copiar o jeito como eles dançavam, cantando palavras que eu não conhecia, sorrindo e balançando o cabelo, bebendo do suprimento infinito de garrafas que apareciam em minha mão. Com a sensação de já ter passado horas ali, percebi que estava sentindo muito calor e procurei a saída para tomar um pouco de ar.

No gramado da frente, avistei Daisy. Eu nunca vira o cara com o qual ela estava, que parecia muito mais velho. Ele estava com o braço em volta dos ombros dela, e ela com o braço em torno da cintura dele. Encostei-me à parede da casa, sentindo o tijolo áspero pressionado contra meus ombros, e observei-os por um momento, esperando o enjoo passar. Eu não queria estar bêbada, mas estava, e fiquei pensando se não devia tentar ir embora escondida. Daria para chegar em casa antes de me expor como uma idiota na frente de Craig. Mas, se fizesse isso, perderia minha chance e poderia não ter outra. Antes que Daisy me visse, voltei para dentro e subi as escadas para achar um banheiro. Se eu me escondesse até estar me sentindo melhor, talvez acabasse dando tudo certo, mas o banheiro estava trancado e eu precisei encontrar outro lugar para me esconder. Entrei no que parecia ser um quarto, acendi a luz e me arrastei para dentro, como uma ladra faria. Deveria ser o quarto de Craig, estava bagunçado e havia uma guitarra e um amplificador no canto, roupas espalhadas pelo chão, uma pilha enorme de livros sobre a cama desfeita. Sentindo-me culpada, fui até a cama e me sentei entre uma confusão de capas de livro. O cheiro daquele quarto era diferente do cheiro do que temos em casa. A sensação era diferente também. Menos como uma jaula, mais como uma toca. Meu corpo me dizia para deitar, e assim o fiz, e acabei dormindo com um sorriso no rosto.

Se Craig não tivesse me encontrado e acordado, só Deus sabe o que teria acontecido. Minha cabeça estava rodando e pulsando quando emergi de meu sono profundo, e soube imediatamente que precisava vomitar.

Empurrei-o, corri para o banheiro e vomitei. Logo em seguida vieram as lágrimas e me sentei na borda da banheira, tremendo e me sentindo muito mal. Alguém bateu à porta e eu soube que era Craig quando ele falou:

— Você está bem?

Não consegui responder, eu não tinha nada a dizer.

Ele tentou de novo.

— Posso entrar?

Balancei a cabeça e esfreguei as mãos no rosto ranhoso e cheio de lágrimas. Qualquer maquiagem que pudesse ter sobrado em meu rosto estava escorrida em minhas bochechas. A náusea me fez lembrar de nunca mais tocar numa gota de álcool novamente. Craig entrou e escondi o rosto.

— Aqui.

Ouvi a torneira ligada, e ele segurava uma toalha úmida. Peguei-a, segurando-a inutilmente com as mãos. Ele a pegou de volta e levantou meu rosto, limpando a bagunça nele. Meus olhos estavam fechados, então não tive de vê-lo com pena de mim.

— Pronto. Você está bem agora. Como se sente?

— Um pouco melhor, obrigada.

— Ainda está enjoada?

— Não. Acho que não.

— Que bom. Você vem comigo?

Ele foi até a porta. Eu queria pará-lo, mantê-lo lá cuidando de mim mais um pouco.

— A festa já acabou? — perguntei finalmente.

— Não, é uma da manhã, ainda é cedo. Tem um monte de gente ainda. Vamos descer. Vou pegar uma bebida para você. — Ele olhou para o meu rosto e riu. — Quero dizer, água.

Dei um jeito de rir também e ele segurou minha mão enquanto voltávamos para baixo, espremendo-nos entre as pessoas no saguão e indo para a cozinha, que parecia ter se encolhido à metade do tamanho original. Ele tirava as pessoas do caminho empurrando com os ombros, puxando-me junto com ele, até chegarmos a um canto onde estava a pia. Encaixei-me no espaço do canto e Craig ficou entre mim e o restante do mundo. Ele me deu um copo com água e bebi tudo.

— Melhorou?

Acenei com a cabeça, dessa vez olhando em seus olhos.

— Ótimo. — Ele sorriu para mim, um sorriso sincero, e, antes que eu pudesse perceber, veio com o rosto perto do meu e nossos lábios quase se tocaram. Ele não me beijaria na cozinha, pensei, ele não poderia, e não beijou. Em vez disso, ele cochichou em meu ouvido:

— Você fica mais bonita sem maquiagem, sabia?

— Muito obrigada.

Ele se afastou e encolheu os ombros, seu sorriso desaparecera. Toquei a manga de sua camiseta.

— Podemos ir lá fora? Preciso de um pouco de ar.

Ele me puxou em meio à multidão novamente, as pessoas tentavam pará-lo no caminho, mas ele continuou andando até chegarmos ao quintal, onde tudo começara, horas antes. Sentamo-nos em duas cadeiras de plástico no pequeno pátio pavimentado. Fiquei olhando para a escuridão e percebi que ele estava olhando também.

Eu não queria que ele me deixasse, mas eu não conseguia pensar em nada para conversar que o mantivesse ali comigo. Então, disse a primeira coisa que veio à minha cabeça:

— Como seus pais deixaram você dar essa festa?

— Eles não sabem.

— Meu Deus, o que eles vão fazer quando descobrirem?

— Sei lá.

— Você não está preocupado se vão destruir tudo?

Ele balançou a cabeça.

— Eles nos conhecem, não fariam isso.

— Como assim? — perguntei, intrigada.

Ele não respondeu, apenas deu de ombros como de costume.

— Você acha mesmo que eu fico horrível de maquiagem? — Deixei escapulir. Que droga!

— Eu não disse isso. — Ele suspirou. — É que eu gosto de garotas que são bonitas, tipo, naturalmente. Foi a primeira coisa que notei em você. Você parecia... natural, diferente ou algo assim.

Como eu posso ter parecido natural? Trancada naquela casa dia sim, dia não, nós mal saíamos de lá a menos que fosse para algum serviço miserável.

— Ah! — falei.

— É, enfim, você faz o que quiser. As pessoas deveriam sempre fazer o que querem.

— Eu concordo. Por isso vim hoje. Meus pais não sabem que eu saí, mas eu queria vir, então vim. — Eu estava sendo patética. Não deveria ter começado nunca aquela conversa, mas, às vezes, eu só queria poder contar tudo a alguém.

— Por que eles não deixariam você vir?

Ele estava me olhando mais intensamente, como se quisesse mesmo saber, e eu sabia que, ao fim e ao cabo, não podia dar a ele a resposta verdadeira.

— Porque eu tenho só dezesseis anos. Porque eles não conhecem você. Não sei. É que eles são superprotetores com a gente. Sabe como é, acham que tudo que é tipo de coisa pode acontecer.

— Então você vai se ferrar quando voltar?

— Não, Rebecca, minha irmã, vai me dar cobertura.

Droga, eu não queria ter mencionado Rebecca, mas escapou, como se ela estivesse a noite inteira ansiosa para fazer uma aparição.

— Sua irmã?

— Sim.

Ele pegou o cigarro do bolso de trás e me ofereceu um. Balancei a cabeça.

— Por que você não está bebendo? — perguntei, observando-o fumar.

— Porque não.

— Você nunca fica bêbado?

— Não. Eu fumo maconha de vez em quando, mas só quando tenho vontade. Com a bebida é a mesma coisa.

Que bom, podemos ficar sóbrios juntos, pensei.

— Você vai mesmo para a universidade? Daisy me contou.

— Talvez.

— O que você quer fazer?

— Medicina, acho. Se eu passar.

— Por que não passaria?

— Não acho que os professores me darão boas referências, não é?

— Você vai ter de começar a ir à aula, então.

Ele me olhou por um momento como se eu fosse maluca e assentiu lentamente.

— Talvez. Minha mãe adoraria.

— Onde ela está?

— Está fora com o namorado, em alguma droga de viagem de fim de semana que eles planejaram.

— Então você não gosta do namorado dela?

— Esperta você, não?

Calei a boca, não gostando de seu tom de voz. De repente, ele estava tenso de novo, e eu, desconfortável na cadeira, esfregando as mãos nos braços arrepiados com o frio da noite.

— Toma. — Craig tirou seu casaco e me deu. Eu o vesti, aconchegando-me no que sobrara do calor de seu corpo, e me virei para agradecê-lo, mas seu rosto estava bem na frente, e dessa vez ele me beijou. Era quente e frio ao mesmo tempo, sua boca tinha gosto de cigarro e de algo doce, talvez açúcar. Eu correspondi, do mesmo jeito que ele estava me beijando, e não queria que ele parasse nunca. Ficamos lá sentados, só nos beijando, sem nem conversar, por muito tempo. Ele colocou os braços em volta de mim e me puxou para perto, e eu sorria enquanto sua boca cobria a minha de novo e de novo. Mas isso não poderia durar para sempre. *Preciso ir*, disse a mim mesma, e finalmente me afastei.

— É melhor eu ir.

Ele concordou e levantou-se, ajudando-me a ficar de pé também. Imaginei como encontraria o caminho de volta naquela escuridão e fiquei preocupada com o que encontraria. Olhei em seu relógio, pegando seu braço e puxando a manga. Três da manhã. *Por favor, não me deixe ser pega agora, por favor, esta noite não pode ser arruinada*. Em frente à casa eu parei, pronta para me despedir, mas ele continuou andando comigo, e nos beijamos, e andamos, e nos beijamos, e andamos, o caminho inteiro até em casa. Ele não queria conversar muito quando não estávamos nos beijando, mas eu não liguei, já estava muito feliz por ele estar ali comigo. A casa paroquial surgiu à nossa frente cedo demais. Eu o fiz parar e me despedi dele.

— Não posso entrar, então? — Ele forjou uma cara de desapontamento, e eu franzi as sobrancelhas.

— Vejo você na segunda-feira — disse-lhe. — Por favor, vá à escola.

— Tudo bem. Por você — assentiu.

Então eu corri, subi e fui pelos fundos, entrei, subi as escadas e me joguei na cama. A casa inteira estava em silêncio, minha respiração parecia uma invasão por um exército, e eu tinha certeza de que acordara alguém em algum lugar. O quarto balançava com as batidas de meu coração, eu podia ouvi-lo expandindo-se e comprimindo-se sob as cobertas e tentava silenciá-lo. Mas estava sorrindo como uma garota louca. Eu nunca iria parar de sorrir.

Rebecca

Depois

Levei uma semana para realmente acreditar que poderia fazer aquilo. Eu não sabia se estaria segura indo por aquele caminho. Tinha certeza de que se me perdesse ninguém iria me ajudar e então eu nunca encontraria o caminho de volta. O mundo era um mar de perigo e eu poderia facilmente me afogar.

Lixo. Você fala um monte de lixo, Rebecca. Você estará mais segura lá fora do que aqui!

Talvez Hephzi estivesse certa.

Domingo chegou. Arrastei-me até o banheiro e tomei banho cuidadosamente e, em seguida, coloquei a blusa azul de Hephzi. Foi um achado; Hephzibah a pegara de um dos sacos de caridade antes que fosse mandada embora. Ela era nova quando Hephzi a encontrou e realçava meus olhos.

— Mãe. Eu tenho de trabalhar hoje.

Ela virou a cabeça redonda e olhou para mim. Eu estava de pé próximo à porta da cozinha, ela estava fazendo chá. Seria fraco; os saquinhos de chá sempre eram utilizados pelo menos duas vezes antes de serem jogados fora. Por um momento, o sol bateu em seu rosto e eu quase podia ver-lhe os ossos e o sangue através da pele, correndo tão ralo quanto a bebida que ela mexia.

— Não. Você tem seus afazeres aqui.

— Bem, receio que eles precisem de mim na Casa de Repouso. Eu já disse que iria. Um dos outros cuidadores está doente. Você vai ter de dar um jeito de fazer as coisas sem mim.

— Não vou conseguir deixar a igreja pronta sem você. — Ela consultou o relógio. Nuvens de pânico espiralaram sob seu roupão e ela começou a correr, o chá quente jorrava do bule, enquanto ela murmurava palavras incompreensíveis em meio à respiração. O Pai estaria esperando por seu café da manhã no andar de cima, como ele gostava. Para mantê-la calma, recuei um pouco.

— Vou dar uma mão para começar, mas estarei fora antes das primeiras atividades.

Ela balançou a cabeça e correu até ele. Fiquei imaginando o que ela lhe diria e esperava os gritos, a retribuição. Decidi que, se eu o ouvisse chegando, correria em linha reta para fora pela porta dos fundos, como um pardal que foge de um falcão. A bolsa da Mãe estava ao meu lado, e eu poderia pegá-la e fugir. Mas não havia ruídos estranhos. De alguma maneira aquilo dera certo.

A igreja estava gelada e eu comecei com o polimento. Tudo parecia limpo ainda por causa da faxina da véspera, mas ele notaria a menor partícula de poeira, a menor mancha ou marca. Por dentro, eu estava eufórica. Estava indo visitar a casa de Danny porque ele me convidara! Eu estava indo visitar o Danny porque ele era meu amigo. Eu estava indo visitar Danny porque eu aceitara, *eu* aceitara o convite. A euforia fez tudo parecer muito mais fácil, muito mais rápido. Se eu podia fazer aquilo, então talvez eu pudesse fazer qualquer coisa. A igreja estava quase pronta às nove horas quando minha mãe veio, então acenei para ela e sorri. Pela primeira vez não escondi minha boca, e deixei que o sorriso esparramado dividisse meu rosto em dois. Seu choque me estimulou a ir embora mais rápido. Eu economizara o suficiente para a passagem de ônibus de ida e volta; Danny morava mais perto da cidade do que nós, e era longe demais para ir andando.

Acho que eles não me esperavam tão cedo. Eram apenas dez e meia quando desci do ônibus, mas levei um tempo dando voltas até encontrar a casa. Todos os lugares pareciam estranhos. Nós sempre ficávamos no bairro, exceto quando havia algum evento obrigatório da igreja e as incursões do Pai a cidades distantes de nomes desconhecidos, então meu senso de direção era péssimo. Todas as ruas e casas pareciam iguais, fileiras de caixas idênticas alinhadas me observando com olhos impassíveis. Tentei lembrar cuidadosamente o caminho que Danny me ensinara. Eu o ouvi com toda a atenção descrevendo o trajeto para o caso de eu mudar de ideia. Hephzi estava brava e não fora comigo. Ela achava que já que eu ia sair, deveria, ao menos, fazer algo divertido em vez de perambular com um velho que cheirava a cozinha e perder o dia com a família chata e estúpida dele. Aquele não era o momento para discutir, então a ignorei, ela tinha de deixar-me na minha. Se eu quisesse, podia desligá-la, embora soubesse que ela iria gritar comigo mais tarde por eu ter sido malvada. Ela não estava muito contente de me emprestar sua blusa azul e isso era complicado. Todas as minhas roupas eram horríveis e eu queria estar com uma boa aparência. Mais agradável que o normal.

Então, eram apenas 11 horas quando apertei a campainha. Eu refiz o caminho de cima a baixo umas três vezes antes ter certeza de bater à porta. Minha respiração vibrou e de repente me arrependi de ter ido. E se ele não quisesse ter dito o que disse? E se eu estivesse na casa errada? Isso seria como se tivesse entendido tudo errado. Talvez fosse assim que as pessoas normais agissem; elas convidavam cada um à sua volta o tempo todo, mas isso não queria dizer que realmente desejassem que fossem. Talvez fosse uma daquelas coisas "normais" sobre as quais Hephzi e eu nunca tínhamos muita certeza. Uma forma escura surgiu por trás do vidro da porta e mexeu na tranca, era tarde demais para me arrepender. Uma mulher abriu a porta. Vestida com jeans e uma camiseta rosa, ela olhou para mim com ar de curiosidade. Então seu rosto desabou. Notei a mudança antes que ela pudesse levantar rapidamente os cantos da boca num sorriso rigidamente falso.

— Olá. Posso ajudar?

Ela pensou que eu estava ali para incomodá-la. Talvez vendendo alguma coisa. Panos de prato, ou, meu Deus. Danny não contara a ela que eu iria até lá. Olhei para baixo e me perguntei num murmúrio por que eu estava lá.

— Como?

— Danny me convidou. Desculpe, eu não devia ter vindo... — Houve uma pausa. Era impossível adivinhar o que ela estava pensando.

— Espere um minuto, querida. Você não é a garota da Casa de Repouso, é?

Eu concordei, e ela puxou a porta, abrindo-a mais, e gesticulou para eu entrar, porém, hesitei, já não tinha mais certeza. Se pelo menos Danny estivesse lá, teria sido melhor.

— Danny está?

— Não, ele levou as crianças para o futebol. Quer dizer, Archie e Mac. Ben está na sala da frente e Milly está lá em cima. Você está no lugar certo, querida, pode entrar. Eu sou Cheryl, esposa de Danny.

Fiquei parada no degrau. Eles não estavam me esperando. Eu ia ficar no meio do caminho, um incômodo, e um minuto antes ela me olhara como se quisesse vomitar.

Quase fui embora, mas alguém me agarrou e começou a me puxar, uma mão pequena e insistente fechada em volta da minha. Então olhei para o garoto que estava me arrastando para a frente, cantarolando olá, e, antes que pudesse correr, eu estava lá dentro, de pé no limpo piso laminado, imaginando o que deveria fazer em seguida.

— Acredite, Danny não deixaria de me avisar que teríamos uma visita! — Sua voz tinha o brilho falso de uma flor de plástico, e senti o incômodo que ela tentava esconder. — Venha, sente-se e espere na sala de estar com Ben. Danny não vai demorar muito.

Que tal almoçar?, pensei. Danny dissera que haveria almoço. Eu não sentia cheiro de coisa alguma cozinhando e já eram 11h30. Talvez ela estivesse começando e me perguntava se deveria oferecer-me para ajudá-la. No entanto, em seguida Ben me arrastou para a sala e eu deslizei para o sofá de couro. Ben olhou para mim.

— Oi — murmurei. — Eu me chamo Rebecca.

Ele sorriu para mim e por um segundo eu relaxei, mas então ele estendeu a mão e tocou o meu rosto. Empurrei a mão pequenina para longe, como se estivesse escandalizada, e ele choramingou, parecendo triste.

— Desculpe, Ben — sussurrei. Ele balançou a cabeça, o lábio inferior empurrado para a frente. Eu esperava que ele não chorasse. Se o fizesse, eu teria de me afastar dele, ou sua mãe poderia pensar que eu iria feri-lo ou algo assim. Ah, Deus, tudo estava dando errado.

Eu disse que era um desperdício de tempo. Você poderia muito bem ter ficado na casa paroquial com eles. Totalmente patética.

Cale a boca. Pensei que você não viria, sibilei para Hephzi e respirei fundo quando Cheryl apareceu na porta.

— Você aceita uma xícara de chá? Café? — Ela estava sorrindo, as mãos nos quadris, e à espera de uma resposta normal a uma pergunta normal. Ben correu para pendurar-se nas pernas dela. E ela distraidamente acariciou a cabeça dele.

— Não, obrigada. Posso ajudar em algo?

— Como o quê?

— Ah. Qualquer coisa; sou boa com os vegetais.

— Vegetais? — Ela apertou os lábios e olhou para mim, então entendeu o que eu quis dizer. — Diabos! Ele convidou você para o jantar, não convidou?

Antes que eu pudesse negar, a porta da frente se abriu e a sala se encheu de vozes. Agora eu estava em apuros. Podia ouvir Hephzi rindo em algum lugar distante. Queria que ela calasse a boca. Cheryl entrou na sala. Esforcei-me para ouvir o que ela ia dizer sobre mim.

— Você tem visita.

— Ah, é?

Danny entrou, corado, vestindo calças compridas e camiseta. Ele me olhou, depois olhou novamente e sorriu para mim.

— Você veio! Que bom!

Eu procurei sinais de sarcasmo, raiva e ressentimento em sua voz. Não havia nenhum. Atrás dele, Cheryl estava sorrindo também. Talvez eu a tivesse julgado equivocadamente. Eu não era boa em compreender pessoas.

— Você poderia ter me avisado, Dan. Eu ia requentar sobras. Nós vamos jantar na casa da sua mãe, lembra?

— Ah, é mesmo. Não importa, não é, Rebecca? Você não se importa, não é?

Ele se aproximou de mim, colocou um braço em volta dos meus ombros e apertou-me firmemente. Senti-me reconfortada e aquecida enquanto era abraçada por ele e, por um segundo, relaxei o corpo.

Cheryl revirou os olhos.

— Típico! — disse ela, rindo. Eu não pude deixar de achar graça, mas minha boca e minhas bochechas largas se abriram num sorriso sem minha permissão. Rapidamente, cobri a boca com a mão. Então Danny riu.

— Ótimo! Vou chamar os garotos e apresentá-la.

Seus filhos tinham desaparecido no jardim jogando futebol, e Ben correu atrás deles e ficou no caminho. Eles não se incomodavam e passavam a bola para ele, aplaudindo-o quando ele chutava na direção certa. Eu os via através da porta envidraçada, era mais seguro por trás do vidro.

Foi provavelmente um dos melhores dias de minha vida. Comemos pizza no almoço e depois enormes fatias de bolo de chocolate, tudo congelado, conforme Cheryl dissera, mas, para mim, era o manjar dos deuses. À tarde jogamos Wii. Archie me ensinou a jogar, pondo a mão sobre a minha e me mostrando como mover os controles, e eu me saí muito bem no esqui alpino. Ninguém olhou para mim como se eu fosse uma aberração, ninguém jogou coisas em mim como costumavam fazer nas aulas de Matemática, e Ben veio, sentou-se em meu joelho e me deu um abraço. Eu queria falar mais, para explicar quem eu era, mas não acho que minhas palavras teriam saído direito, e, assim, eu continuei quieta. Eles pareciam não se incomodar comigo, ninguém ficava me olhando. Milly até fez minhas unhas e passou um esmalte rosa perolado que ela ganhara numa revista. Ela só tinha 12 anos, mas parecia mais velha que eu. Eram 16h30, hora de saírem para a visita deles, o que significava que eu tinha de ir embora também. Gostaria de poder ir com eles, mas não me atrevi a pedir. No corredor, preparando-me para sair, encontrei os olhos de Archie. Eu o achara bonitinho, pequeno para 16 anos, mas com um lindo sorriso.

— Então, o que é que há de errado com você? — Imediatamente eu corei e olhei para baixo. Claro que tinham notado, eu me penitenciava. Eu estava brincando comigo mesma, achando que era igual a eles, que poderia ser um deles. Como eu não respondi, ele falou de novo, e eu podia dizer que ele estava se sentindo mal.

— Desculpe... Eu não estava querendo ser, você sabe... — As palavras pairaram no ar, pequenos tiros que ele não quis disparar. Respirei fundo, então soltei o ar de uma vez.

— É uma síndrome.

— Como a Síndrome de Down?

— Não. Bem, talvez um pouco. Se chama Treacher Collins. Mas, afora o meu rosto, não há nada de errado comigo. Eu sou normal, afora isso. — Normal. Eu, normal. Não imaginava que diria isso, mas, agora que dissera, percebi que podia ser verdade. As palavras saíram depressa, totalmente improvisadas, sem censura, e senti que eu acabara de fazer parecer que eu pensava que seu irmão Ben era uma aberração. No entanto, ele balançou a cabeça como se entendesse o que eu pretendera dizer.

— Você está na escola, então?

— Não, eu tive de largar.

— Por quê?

Dei de ombros, ainda mantendo os olhos no chão. Eu nunca falara com um menino como aquele antes, com exceção da vez que encontrei Craig no playground, e eu estava tentando esquecer que isso acontecera.

— Você não gostava?

Ele estava tentando falar comigo novamente e eu balançava a cabeça, esperando que a conversa terminasse logo.

Patético, murmurou Hephzi ao meu ouvido.

Cheryl nos interrompeu antes que eu pudesse tentar outra vez.

— Então é aí que vocês dois estão. É melhor a gente ir. Ah, você, querida, foi bom conhecê-la. Danny não parava de falar de você, sabia? — Ela me deu um breve abraço e gaguejei um agradecimento em meio à minha felicidade. Eu os observei entrar no carro tipo furgão. Archie acenou da parte de trás, sorriu e murmurou alguma coisa que eu não entendi, e eu me perguntava o que poderia ter sido enquanto caminhava de volta para o ponto de ônibus. O sol do início de verão estava baixo no céu, e eu me movi para tomar seus últimos raios enquanto esperava o ônibus. Eles me ofereceram uma carona, mas, como estavam todos no carro, não havia nenhum espaço sobrando.

Na volta para casa, eu sentia o brilho do dia desaparecer como se alguém estivesse me limpando e me levando de volta aos meus dias tediosos. Agora não importava que Cheryl tivesse me abraçado, que Ben tivesse se sentado no meu joelho, ou que Archie tivesse me perguntado o que eu pensava sobre a escola. Percebi que estava com fome novamente. Talvez houvesse algo para comer quando eu voltasse, mesmo que fosse um dos assados da Mãe. *Gorda*, disse Hephzi, e eu ri. Uma coisa que eu não sou é gorda. Hephzi era mais curvilínea que eu, tinha seios, quadris e até bumbum, mas era supermagra. Os homens olhavam para ela quando ela passava. Eu não, sou reta de cima a baixo. Eu sabia que não fazia sentido pensar em Archie, ele não olharia duas vezes para mim. *Ou uma vez*, falou Hephzi. Eu a mandei calar a boca. Ela não precisava me lembrar do que eu era.

O trajeto do ônibus demorou, passando por várias casas, e senti que começava a escurecer conforme os passageiros desembarcavam. À medida que nos aproximávamos do meu bairro, tudo parecia menor e mais escuro. Já era tarde quando cheguei à casa paroquial. Caminhei lentamente em direção à porta. O lugar todo parecia já estar fechado para a noite, e meus pés se demoraram pelo jardim. Pensei que ele estaria à minha espera, pronto para me punir de forma dolorosa, na justa medida do meu crime, ou um pouco mais, só para certificar-se de que aprenderia a lição. Eu me perguntava o que deveria fazer. Não queria entrar ainda, não se ele estivesse esperando bem atrás da porta, por isso fui pela lateral da casa até a árvore de Hephzi. Na última vez que tentara subir eu tinha sete ou oito anos, e caí, bati a cabeça e torci o tornozelo. Hephzi beijou os ferimentos para que melhorassem. *Eca!*, disse ela. *Eu não faria isso hoje em dia.* No entanto, ela disse que ao menos me mostraria os melhores pontos de apoio e como posicionar minhas mãos, embora ainda continuasse murmurando sobre o quão ridículo era eu voltar para a casa paroquial. Eu fizera todo aquele esforço, então por que estava voltando atrás?

Olhei para cima através da espessa copa de folhas e galhos e para além dos pequenos feixes de luz das estrelas, pensando. Vovó lera um livro[9] para nós quando éramos bem pequenas e me lembrei então de uma história sobre algumas crianças que subiram numa árvore e descobriram um novo mundo esperando por elas cada vez que alcançavam o topo; talvez a Terra das Guloseimas, ou, se você fosse realmente sortudo, a Terra do Faça o que Quiser. Hephzi e eu ouvíamos, extasia-

[9] Refere-se ao livro *The Magic Faraway Tree* (*A casa na árvore*), da escritora britânica Enid Blyton. (N.T.)

das, o que a Vovó lia em voz alta, e eu sonhava com a fuga de nosso quarto para um mundo tão livre quanto aquele sonho.

Hephzi estava ficando de saco cheio. Ela não gostava de frio e estava começando a esfriar. Ela achava a ideia toda péssima.

Enfrentei os fatos. Eu não queria entrar. Eu ficara livre por um dia e fora maravilhoso. Eu gostara de Danny e Cheryl e Archie e as outras crianças. Eles eram muito gentis e agradáveis uns com os outros, mesmo que, às vezes, disputassem o controle remoto ou discutissem sobre o próximo jogo que jogariam. As crianças falavam com sua mãe e seu pai num tom de voz normal, não pareciam estar se sufocando nem se encolhendo por causa de uma mão estendida. Percebi que era isso que Hephzi queria para si e era isso que ela esperava encontrar em Craig. Ela não estava procurando apenas um namorado, ela queria a coisa toda. A casa normal e os pais normais. Um quarto agradável, toalhas macias, uma pilha de revistas e esmalte para unhas. Ela queria assistir a TV e ficar depressiva como uma adolescente normal. Quando lhe disse para não confiar em Craig, eu realmente não entendera isso. Agora tudo ficou claro.

Eu poderia ir embora, retomar o caminho. Se não voltasse para a casa paroquial, não teria de ver aquela parede. Não teria de ouvir o choro dos bebês.

A cama extra na Casa de Repouso estava livre. Suki e Michaela estavam de plantão à noite e, quando me viram à porta, correram para me deixar entrar e me deram chocolate quente e biscoitos, sorrindo por trás de sua perplexidade enquanto eu explicava que perdera a chave de casa e não queria acordar meus pais tão tarde. Por fim, acho que entenderam a mensagem porque não disseram nada quando andei pelo corredor em direção à cama da enfermaria, tirei os sapatos e mergulhei na cama. Enquanto cochilava, eu sabia que teria a melhor noite de sono de todas. Eu fugira da casa paroquial pela primeira vez em anos e ninguém poderia me perturbar ali. *Viu só?*, falei para Hephzi. *Eu posso ser normal também.* Ela não respondeu.

A manhã chegou muito rapidamente. Não houve nenhum demônio rondando meu ombro e pedindo comida, exigindo uma canção de ninar, ou pesadelos sussurrando, e eu estava cheia de energia, aproveitei meu café da manhã e comecei a trabalhar logo em seguida, e até encontrei tempo para me sentar com Cyrilla e ler mais ou menos umas 50 páginas de um romance histórico que ainda não tínhamos lido. No final, ela cochilou e eu, encolhida na cadeira, terminei o livro. Eu sabia que, em algum momento, teria de voltar para a casa paroquial, mas estava gostando de fantasiar que poderia viver na Casa de Repouso para sempre. Eu tinha amigos ali.

Danny chegou na hora do almoço, para começar o turno da tarde. Eu não tinha certeza de que ele percebera que eu estava vestindo as mesmas roupas da véspera, não é tão incomum e, sob meu jaleco, não se poderia realmente saber. Mas ele perguntou se voltara bem para casa e me virei para mentir.

— Você tem de vir para um churrasco da próxima vez. O verão está chegando.

Eu confirmei com a cabeça, sim, seria incrível. Se eu não estivesse toda arrebentada, então poderia ir mesmo. Finalmente entendi a intoxicação de Hephzi com a liberdade e eu desejava outro gole, queria sentir aquela onda de felicidade em minhas veias até que explodisse como pequenos fogos de artifício em meu cérebro. Danny não mencionou Archie, e eu tentei não me importar; eu realmente não esperava que ele dissesse algo. Então, enquanto eu estava indo, ele me chamou de volta.

— Eu esqueci de dizer. Archie está tendo alguns problemas com a lição de casa. Ele precisa de uma boa nota em Inglês para entrar na faculdade no próximo ano — Danny parecia irritado com aquilo —, mas ele não é muito culpado. Nenhum de nós é. Não sou capaz de soletrar a palavra *toffee*. Enfim, eu vi você com seus livros. O que você acha?

— Como assim?

— Talvez você pudesse ajudá-lo um pouco.

— Ah. Não sei. Como?

— Dê algumas dicas a ele. Ele diz que seu professor é inútil, e ele tem de fazer um trabalho sobre isso. Alguma abobrinha relacionada a Shakespeare.

— Eu nunca li nada de Shakespeare.

Por um momento, ele ficou cabisbaixo, mas rapidamente se animou.

— Bem, logo você pega o jeito. Não deve ser difícil para uma garota gentil e brilhante como você. Posso dizer a ele que você aceita?

— Tudo bem.

Minhas mãos tremiam quando saí, e a animação tomou conta de mim. Eu era uma garota gentil e brilhante. Ele pensou que eu poderia ajudar Archie. Bem, eu tentaria. Estava tão preocupada com o pensamento que não percebi minhas pernas me carregando até a entrada da casa paroquial, perto da porta dos fundos. A Mãe estava na cozinha, eu podia vê-la no fogão, seus ombros arqueados e estreitos sob o suéter de lã grosso. Ela devia estar fritando dentro dele, pois era o dia mais quente do ano. Abri a porta e entrei. O cômodo cheirava a ranço. O Pai não ficaria satisfeito se ela houvesse se esquecido de limpar. A Mãe estava ficando cada vez mais relapsa desde a morte de Hephzi, e ele tinha de lhe dizer o tempo todo que se cuidasse, arrumasse o cabelo e sorrisse mais docemente. Mas não se pode esconder veneno para sempre, ele tem de escoar para fora em algum momento, e eu podia sentir o cheiro no ar. Mal podia esperar para sair da sala e voar para o andar de cima e me sentar para planejar como eu poderia ajudar Archie. Ela se virou, com a colher de madeira empunhada como se fosse uma arma, seu rosto ficou mais sombrio quando viu que era eu.

— Oi. — Eu me perguntava o que ela faria se eu sorrisse novamente.

— Onde você esteve? Você ficou fora a noite toda. — Sua voz era áspera como uma lixa, arranhando-me, arrastando-me para uma discussão.

— No trabalho. Fiquei na Casa de Repouso. Vá perguntar lá se não acredita em mim.

Ela balançou a cabeça, a boca era uma linha estreita.

— Ele nunca deveria ter concordado. Ele sempre foi muito bom, permitindo que você e Hephzibah nos enrolassem assim.

— Do que você está falando?

— Esse trabalho. É hora de você parar. Eu não posso deixar você se exibindo assim todos os dias, há trabalho a ser feito aqui. Você tem de ficar em casa.

— Eu não quero.

Isso, sussurrou Hephzi. *Diga a ela, diga a ela de novo!*

Ela avançou para cima de mim, brandindo a colher. Pude ver de perto as bolsas sob seus olhos, as veias rotas em suas bochechas dançando em seu rosto com uma teia de sangue. Ela parecia mais velha e eu dei um passo para trás. Seus olhos pálidos, vazios, procuravam os meus.

— Você está ficando igual a ela, igual a outra. Ela ia e vinha quando queria, e agora você acha que pode fazer o mesmo. E você vai seguir o mesmo caminho, escute minhas palavras, você vai seguir o mesmo caminho.

Recuando ainda mais e contornando a mesa da cozinha até chegar à porta, eu corri dela, mas sua intimidação me seguiu até as escadas.

— Você não sabe quanta sorte tem! — Ela me chamava e eu recuava e, então, tropecei, assustada mais uma vez com a mulher que se autointitulava minha mãe. Eu sabia que ela não iria atrás de mim, sem ele para apoiá-la, ela era só palavras, as quais não me machucariam agora. Em vez disso, lembrei-me de que conseguira acabar com tudo, por enquanto, e que havia coisas melhores por vir.

Eu precisava ser inteligente e dar um passo de cada vez.

Não!, gritou Hephzi. *Não!* Mas eu a ignorei novamente.

Eu me sentei na janela, evitando a parede, e pensei sobre os Pais. A última coisa que eu queria era que as pessoas percebessem quão doentes e distorcidos eles eram. Então tive de explorar melhor aquilo. Pensei na Sra. Sparks, que ia ali quase todo dia, o braço direito do pastor, ou como ela gostava de pensar que era. Simplesmente nunca gostei dela, desde o princípio, mas agora, refletindo, eu podia ver que ela nunca nos fizera nada de mau, fora gentil com Hephzi e comigo. Às vezes, ela trazia sacos repletos de roupas, coisas de suas próprias filhas, que haviam crescido, canetinhas, quando éramos pequenas, ou uma caixa de livros. Nós nunca víamos a maior parte daquilo, embora Hephzi geralmente conseguisse roubar algumas coisas legais dos sacos de roupa antes de a Mãe levar as peças inadequadas para longe. E eu tinha de agradecer à Sra. Sparks pelo meu trabalho. Ela sugerira, e ele foi incapaz de recusar sem fazer de si mesmo assunto para conversas. Conversas significavam fofocas, e fofoca é a rádio do diabo. Acho que ele pensou que, como a Casa de Repouso era perto da casa paroquial, seria fácil manter-me sob vigilância. Bem, isso é o que ele pensava. Hephzi estava me observando, sarcástica.

Presunçosa, hein?, dizia ela. *Você acha que fugiu ontem?*

Dei de ombros, era óbvio que ela estava irritada, e eu não queria provocá-la.

Apenas espere, eles vão trazer você de volta. Ela fez uma pausa, incitando-me. *A menos que você fuja antes. O que a fez voltar, sua idiota? Você estava livre!*

Eu não queria ouvir, então rastejei para debaixo da cama e fechei os olhos, pensando em Archie e em Shakespeare.

Hephzi

Antes

Estava esperando ver Craig na escola segunda-feira, como ele prometera, no entanto, ele não apareceu. A mesma coisa aconteceu na terça e na quarta. Lentamente, o barato de sábado à noite começou a passar, e eu me sentia vazia, como se tivesse me dado mal numa prova que nem sabia que teria de fazer. Talvez eu tivesse inventado tudo, talvez eu tivesse fantasiado a noite toda. Quando vi que ele nem sequer mandara uma mensagem no Facebook para dizer oi ou para explicar-se, comecei a imaginar o que eu poderia ter feito para ele me odiar. Percebi que Daisy estava me observando no pátio, e sabia que ela estava desesperada para me perguntar o que acontecera, mas eu não contaria a ninguém. Não ainda.

Na quinta-feira, quando eu já perdera as esperanças e me arrastava para a aula com Rebecca, alguém me agarrou por trás, circundando minha cintura e me levantando para o alto. Dei um grito de surpresa e Rebecca berrou algo incompreensível. Foi quando ouvi uma risada e percebi que era Craig finalmente me abraçando apertado ali no corredor como se fosse um comportamento totalmente normal para ele. Eu ri também e deixei-o beijar-me bem na boca na frente de todo mundo.

— Onde você esteve? — consegui enfim dizer. Ele deu de ombros, como era de esperar, mas dava para ver a felicidade dançando em seus olhos e um sorriso contorcendo seus lábios. Rebecca tentava tirar-me dali e levar-me para a aula. Ele a olhou com curiosidade, como se nunca houvesse reparado nela antes, e nós três acabamos chegando à aula de Matemática bem na hora. A presença de Craig foi um presente para o professor, que se divertiu dando boas-vindas num tom sarcástico. O professor pegou no pé dele a aula inteira, Craig, no entanto, respondeu corretamente a quase todas as perguntas e ainda me ajudou com minha lição. Ele parecia uma calculadora humana, balançando em sua cadeira, cuspindo respostas como se fosse a coisa mais fácil do mundo. Eu nunca percebera que um cara com cérebro poderia ser sexy.

O sinal tocou e Craig agarrou minha mão, levando-me com ele para fora da sala e do prédio. Atrás do ginásio, ele me beijou como se tivesse passado 40 dias no deserto e eu fosse um copo d'água. Empurrei-o para poder finalmente respirar. Eu nunca o vira tão feliz, era como se ele fosse outra pessoa.

— Você está diferente.

Ele levantou uma sobrancelha. Um novo truque, talvez um aprimoramento no dar de ombros.

— Você está linda. — Seu tom era acusatório e eu não consegui manter a calma. Fiquei rosa brilhante. Ele me beijou de novo e cochichou por sobre meu cabelo:

— Especialmente quando fica envergonhada.

— E agora?

Ele me olhou, tirando o cabelo da frente de meu rosto, e bebeu do meu beijo. Agitei-me e me contorci.

— Eu acho que deveríamos sair daqui. O que você acha?

Concordei e corremos de lá antes que alguém pudesse nos deter. Minha bolsa batia contra minhas pernas enquanto eu corria segurando a mão dele, alguns passos atrás, mas isso não importava, nada importava agora.

Passamos o dia na casa dele, em seu quarto, ouvindo música. Ele me contou da encrenca em que se metera por causa da festa, da briga com o namorado de sua mãe e que ele estava no apartamento de seu irmão, na cidade, nos últimos dias, até que as coisas se acalmassem.

— Desculpe não ter cumprido o que falei. Eu queria ver você, mas, bem, eu precisava ficar um tempo longe.

Eu podia entender isso, então assenti. Em seguida, ele tocou para mim uma música que compusera e perguntei sobre o que era.

— Você não consegue adivinhar? — Ele olhou para mim, provocando, sorrindo, flertando novamente, e fiquei corada mais uma vez. Eu sabia que não deveria estar ali, no quarto dele, no meio do dia. Qualquer coisa poderia acontecer e acabaria sobrando para Rebecca.

— É sobre você, claro.

Ele guardou a guitarra e me abraçou. Quando parou de me beijar já era escuro lá fora.

— É melhor eu ir para casa.

— Fique.

— Não posso!

— Tá bom, eu levo você — resmungou.

No caminho, ele me contou que, na semana seguinte, faria o exame para dirigir motocicletas, e que economizara para comprar uma mobilete de segunda mão que um amigo de seu irmão estava vendendo. Ele iria me levar consigo então, ele disse, iríamos para o litoral comer peixe com batata frita e tomar sorvete, ele me levaria a Londres e me mostraria todos os lugares interessantes. Ele não acreditou quando eu disse que nunca estivera lá e quis saber por que não. Mas já tínhamos chegado em casa e corri para dentro antes que ele pudesse me dar um beijo de despedida ou fazer mais perguntas difíceis.

Eles estavam todos lá, sentados na mesa de jantar. Eu podia ouvir a casa estalando e rangendo no silêncio profundo. Ninguém estava comendo e a comida parecia estar congelada naqueles pratos havia dias. Olhei no relógio e percebi que estava mais de uma hora atrasada para o jantar. Silenciosamente, deslizei até meu lugar e senti o calçado de Rebecca tocar meu tornozelo, numa pressão gentilmente insistente, avisando-me para tomar cuidado. O Pai pegou o garfo e deu uma grande garfada em sua comida. Então, numa explosão de vidro e louças se estilhaçando, os pratos foram arremessados ao chão, a comida espalhada na parede, enquanto ele gritava e berrava comigo, com Rebecca e com a Mãe. Empurrei Rebecca para trás de mim e, de repente, pela primeira vez, não tive medo.

— Que diabos há de errado com você? — gritei para ele, em sua cara, mesmo ele não me ouvindo por causa do barulho de sua própria raiva. Ele tentou agarrar meu pescoço, vacilante em seu furor etílico, mas me esquivei e escapamos rapidamente.

Protegidas em nosso quarto, debaixo da cama de Rebecca, que encostamos contra a porta, tudo que eu podia ouvir era o barulho áspero da nossa respiração. Lá embaixo, as pancadas, batidas e palavrões continuavam, e eu esperava que a Sra. Sparks aparecesse para testemunhar o ataque de São Roderick.

— Por que você fez isso? — cochichou Rebecca. — Você não podia ter chegado em casa na hora certa? Ele vai nos matar agora.

— Não, ele não vai. Não se preocupe.

Rebecca meio que gemeu, meio que soluçou. Ela estava com muita raiva e medo, e eu sabia que parte disso era porque eu estivera com Craig.

— Escute, Reb. Não fique brava comigo, você não devia. Eu estou feliz!

— Que bom pra você! — Ela explodiu e me atacou com os punhos e as pernas, batendo-me, seus cotovelos me machucando no espaço apertado. Agarrei-a facilmente, e ela parou, caindo no choro no tapete.

— Você vai me largar aqui com ele, não vai? Você vai embora com aquele garoto horrível e vai me deixar aqui, e eu nunca vou escapar. Eu odeio você, Hephzi, eu odeio você.

— Pare com isso, Reb — cochichei para ela. — Pare com isso. Eu te amo. Eu te amo.

Ficamos lá, deitadas, agarradas no espaço escuro sob a cama, pois parecia ser mais seguro do que se tentássemos sair. Às vezes, minha irmã chorava e gritava enquanto dormia, mas eu não ousava lhe perguntar sobre o que eram seus pesadelos, e acho que ela não me contaria mesmo. Enquanto Rebecca murmurava e gemia ao meu lado, eu pensava no que dizer para Craig sobre tudo que acontecia ali. Algumas coisas eram muito difíceis de manter em segredo, e eu não queria ter de começar a mentir para ele. Mas eu teria de fazê-lo, não havia outro jeito. Se ele soubesse, me veria de um jeito diferente e saberia que eu não estava certa.

Outubro foi o nosso mês. Eu matava aula quase todo dia. Craig passou na prova, como ele disse que faria, e nós íamos de motocicleta o mais longe que podíamos, às vezes apenas até o pântano, talvez até o campo, ou a cidade, e vagávamos pelas lojas. Ele me mostrava coisas que me compraria quando fosse rico, e eu sorria, imaginando aquilo muito facilmente. Nosso futuro brilhava como o sol em minha imaginação. Quando eu estava sentada atrás dele, segurando-me para manter-me viva enquanto ele pilotava quase à velocidade da luz, eu pensava que iríamos decolar. Voaríamos para longe e seríamos livres. Eu sonhava com isso, enjoada, amedrontada e preparada para qualquer coisa enquanto conseguisse manter meus braços em volta de Craig. Ninguém mais me importava. Eu via Daisy nos corredores e sorria, acenava, sem ligar para o que ela poderia estar falando de mim. Engraçado, era ela quem estava sempre atrás de mim, já que Craig e eu estávamos juntos, convidando-me para sair, emprestando-me coisas, dando-me presentes, mandando-me bilhetes. Como eu estava muito feliz, esqueci o que ela dissera sobre minha irmã e a deixei ser minha amiga. Nos dias em que eu estava na escola, Craig estava também, e os outros grudavam nele como se fosse ímã. Ele apenas ficava lá, e eles vinham, e eu sorria e observava, orgulhosa.

Daisy realmente não gostava daquilo. Samara dizia que ela tinha inveja, mesmo tendo namorado também. Eu não ligava que ela estivesse brava, não quando Craig estava comigo, mas quando estávamos na escola ou ela era minha melhor amiga ou tentava fazer da minha vida um inferno.

Craig e eu estávamos almoçando numa área comum, duas semanas depois de termos começado a sair, quando ela deu início. Craig me trouxe um sanduíche e uma lata de Coca-Cola. Eu não fazia ideia do que Rebecca iria comer, mas ela se perdera num livro e se esquecera totalmente da comida. De qualquer maneira, eu vi Daisy olhando para mim, considerando, tal como uma cobra observa um rato, e fiquei esperando para ver o que ela diria daquela vez.

— Sabe de uma coisa, Hephzi? Eu acho que conheço seu pai. — Sua voz era muito astuta.

Dei uma mordida no sanduíche, sem olhar para ela. Talvez, se eu a ignorasse, ela desistiria.

— Ele costumava fazer aqueles encontros aos sábados, não é? Todos os fins de semana, mesmo nos feriados. Minha mãe me fazia ir, creche de graça, ela falava. Nós estávamos nos lembrando disso ontem à noite, quando falamos de você. Ela se sente muito mal por isso agora.

Eu sabia que ela queria que eu perguntasse o que haviam falado de mim. Ela, Daisy, gostava disso, de atormentar, de fazer os outros aturarem cada palavra sua. No entanto, eu sabia muito bem do que ela estava falando. Uma das campanhas de recrutamento de Roderick. Ele me deixava ir também, eu, a Sra. Sparks, a Mãe, e alguns outros, estávamos todos no seu "time", como ele dizia. Era divertido, uma das melhores coisas que fiz quando criança. Nós não podíamos fazer nenhuma das coisas normais, nem mesmo ir à escola, e eu sempre quis ter feito o primário, andar pelas salas de aula e estar com outras crianças. Nós espiávamos através das grades da escola quando passávamos por lá com nossa mãe, nossa cabeça virando para tentar ver um pouco mais enquanto andávamos. Nós víamos as paredes em tons pastel, os desenhos das crianças, as fotos e os rostos sorridentes; a algazarra e todas aquelas cores e formas pulando até nós através das grandes janelas, que me deixavam tentada a alcançá-las e tocá-las. Eu imaginava que teria meu próprio poema ou uma colagem numa parede e como eu ficaria orgulhosa disso. Eu desenharia a imagem de um jardim e duas garotinhas. Reb e eu. Às vezes, víamos as crianças no parquinho, correndo e gargalhando, ou se balançando de cabeça para baixo nos brinquedos de escalar, brincando de amarelinha com os amigos. Eu tentava pular como eles faziam, mas nos quadrados da calçada. Não era a mesma coisa.

A voz de Daisy interrompeu meu pensamento:

— É, você ainda faz isso, então? Ajuda seu pai com seu exército de Jesus?

Finalmente a olhei nos olhos. Sua cabeça estava inclinada para o lado, e havia um sorriso maroto em seus lábios. Daisy nem sonhava com a verdade. Dei de ombros e respondi lentamente.

— Eu nunca ia aos encontros de sábado, isso era coisa da igreja dele. Eu fazia minhas próprias coisas.

— Besteira! Eu me lembro de você. Era você quem fazia os crachás.

Ela estava certa. Eu me lembrava de ficar lá, com as mãos de Roderick firmes em meus ombros enquanto eu descolava as etiquetas e ele dizia olá para cada uma das pessoas, quando eu solenemente entregava o crachá para cada um dos recém-chegados, imaginando se talvez esse ou aquele seria meu amigo.

— Bem, talvez eu tenha ido algumas poucas vezes. Grande coisa.

Craig olhou para mim, para ela, e depois de volta para mim. Em seguida, voltou a concentrar-se no almoço, desinteressado.

— Eles nos ensinaram todas aquelas músicas idiotas, aquelas atividades. Meu Deus, que vergonha! Eu não acredito que deixei minha mãe me fazer ir lá.

Tudo voltou, reverberando nas caixas de som do passado, o Pai, no palco improvisado no salão da igreja, gritando passagens da Bíblia num microfone que estalava, seus braços para cima, derramando sua empolgação nos ouvidos das pessoas enquanto balançava para a frente e para trás, encorajando-as a participar. Alguns dos adultos, que também eram ajudantes da igreja, compartilhavam de seu frenesi. Parecia que alguém colocara fogo neles por dentro enquanto erguiam as mãos em louvor, uma orgia de oblação. Parei de comer, perdera a fome.

— Ele é maluco, o seu pai, não é? É o que meu pai diz, um desses fanáticos religiosos.

— É, tanto faz — respondi, e peguei minha mochila. Ela sorriu, feliz por ter conseguido me cutucar e me fazer sentir deslocada.

Os encontros de sábado não tinham me atormentado na época. Eu me sentia especial por ser escolhida para participar, pois eles não deixavam Rebecca ir. Eu não gostava de pensar muito naquilo, em como ele se preparava toda semana, como se estivesse indo conquistar o mundo, vestido com sua calça jeans da moda e camiseta da Mr. Men. Abaixo da figura redonda e amarela na parte da frente estava escrito "Sr. Feliz". Eu observava o jeito que ele segurava a mão das crianças pequenas, o jeito como as abraçava, apertado, cochichando em seus ouvidos que Jesus as amava e que elas deveriam ir até Jesus. Eu tinha 10 ou 11 anos quando me foi permitido participar do grupo, e fiquei muito ansiosa por finalmente conhecer outras crianças. Ele acabou desistindo da empreitada. O esforço era maior que o ganho. Nós raramente víamos essas crianças nas cerimônias aos domingos, mas eu continuava procurando por elas mesmo assim. Vovó perdera tempo quando tentou convencer a Mãe a nos deixar ir para a escola.

— Por que você não as deixa ir, meu bem? Assim você descansa um pouco dessa coisa de educação domiciliar. Elas iriam adorar conhecer outras crianças, ar fresco e diversão.

— As crianças estão bem aqui. Isso está fora de cogitação.

— Mas por quê? Eu não entendo.

E Vovó não entendeu. Ela nunca os entendeu, e eles se cansaram dela tentar interferir.

— Vou falar com Roderick, posso? Vou dizer a ele o que acho.

— Não! — respondeu a Mãe. — Esqueça isso, está bem?

Vovó continuou tentando, até o fim. Tenho certeza de que sim.

Por alguma razão, Rebecca ainda odiava Craig. Eu expliquei a ela um milhão de vezes por que eu gostava dele, e ela própria viu na aula como ele é inteligente. Contei-lhe sobre como ele tocava guitarra e fazia músicas para mim, até lhe mostrei algumas letras de música, certa de que isso iria convencê-la, mas ela só zombava e me dava as costas. Eu sabia que ela estava com inveja, só não sabia o que fazer a respeito. Eu não sabia por que eu dava importância a isso.

Mas nem tudo era tão fácil. Após a primeira noite, a da festa de Craig, quando tudo começou, a Mãe me pegou no silêncio da igreja enquanto eu lustrava o átrio, fazendo-me esquecer minha felicidade. Ela agarrou meu pulso com seus dedos magros e me disse que não iria mais encobrir as coisas para mim, não importava o que eu dissesse ou fizesse, ela não se arriscaria de novo. Eu implorei, ameacei, chorei, mas não adiantou. Então, tudo que pedi foi que ela ficasse de boca fechada. E foi quando encontrei a árvore.

De jeito nenhum eu abriria mão de minha liberdade e ficaria trancada na casa paroquial quando poderia estar com Craig. Por isso, bolei minha própria rota de fuga e fiquei muito orgulhosa dela. Eu conseguia escapar e ver Craig quanto quisesse, desde que Roderick estivesse apagado pela bebedeira ou fora de casa, em alguma visita, ou apenas dormindo. Eu adorava a árvore que me ajudava a fugir e, mesmo eu tendo arranhões nos braços e pernas, não ligava nem um pouco. Craig achava que eu era doida. Tentei explicar para ele que meus pais eram rigorosos e insistia para que ele sempre me levasse para casa na hora certa, no entanto, ele achava que, se eu lhes desse uma chance, eles se acostumariam e não seria mais necessário sair escondida por aí. Eu o deixava continuar com essa fantasia e mantinha a verdade só para mim.

Ele, no entanto, me apresentou à sua mãe. No começo, eu não sabia o que dizer ou para onde olhar. Eu não conhecia muitas mães normais, então só fiquei sorrindo e concordando com tudo o que ela dizia. Ela era muito legal. Estava sempre me convidando para o chá, mas eu nunca podia aceitar. Se ela estava em casa durante o dia e eu também estava lá, sentava-me com ela à mesa da cozinha e conversávamos sobre qualquer coisa. Craig disse que ela estava ameaçando ir a uma cerimônia do Pai e levá-lo junto. Ela achava que era importante que ao menos ela se apresentasse. Eu disse a ele que de jeito nenhum ela poderia fazer isso, e Craig concordou, então fiquei esperando que ele conseguisse mantê-la longe. Se ela aparecesse e conversasse com o Pai, tudo estaria acabado.

Eu estava surpresa por conseguir dormir naqueles dias, com tantas coisas com que me preocupar, com tantos jeitos diferentes pelos quais eu poderia ser pega. Rebecca não parava de me lembrar de tudo. Como uma adivinha, ela sussurrava sem parar sobre os risco e perigos. Eu não conseguia aguentar e, às vezes, queria costurar-lhe a boca ou cobrir-lhe a cabeça com meu travesseiro até que ela calasse a boca de uma vez.

Pam, a mãe de Craig, estava pintando sua casa, e me deu o que sobrara da tinta usada na sala de estar. Levei as coisas escondidas para casa e, com um pincel, comecei a pintar a parede em que minha cama fica encostava. Nosso quarto não era pintado nem tinha o papel trocado desde que consigo me lembrar. O papel de parede estava apagado, mas dava quase para ver os desenhos de flores desabrochando aqui e ali. Deve ter sido bonito um dia. Talvez a família que morou lá antes da gente se importasse em deixar o quarto bonito. Pintei até meu braço doer e então fiz uma pausa. Não sabia por que me importava, afinal, não demoraria muito para eu cair fora dali, eu esperava, se as coisas saíssem conforme o planejado. Suspirando, analisei meu trabalho e percebi que precisaria de mais uma demão de tinta. Eu nunca teria dinheiro para comprar mais, no entanto, Pam talvez tivesse um pouco mais de tinta sobrando. Quando tivesse minha própria casa e minha família, eu pintaria todos os cômodos com todas as cores do arco-íris, como Pam estava fazendo. Ela queria pintar o quarto de Craig de laranja, mas ele não queria deixar. Ele queria que ficasse como estava. Quando eles discutiam, não era como quando eu brigava com minha mãe e meu pai — ninguém explodia, ninguém se desintegrava, eles apenas discutiam, batiam uma porta e esqueciam.

Nosso Pai tinha um livro. Nele, ele listava tudo que nós fazíamos e que era, segundo ele, errado, e às vezes ele o pegava e lia para nós, adicionando e alterando coisas enquanto o fazia. Nós tínhamos de ajoelhar e escutar; era um de seus rituais, e eu estava cansada daquilo. Eu não mais o deixaria encostar em mim, nem escovar meu cabelo, nem segurar minha mão, nem me bater. Ele estava ficando cada vez mais nervoso e mais estranho, e logo perderia o controle. Até eu tinha um limite para provocá-lo, e esse limite estava próximo. Eu precisava sair dali.

— O que você está fazendo?

— O que parece?

— Por que você está pintando a parede?

Eu não respondi. Às vezes, as perguntas de Rebecca eram tão idiotas que eu nem me importava mais.

— Você vai sair hoje à noite de novo?

Balancei a cabeça, confirmando.

— Quando você volta?

— Quem sabe? Ele está numa reunião, você sabe, aquela coisa do conselho escolar. É seguro, não se preocupe.

Ela sempre se preocupava, não importava o que eu dissesse, e isso me deixava nervosa também. Mas eu tinha de ir aquela noite, era especial, era aniversário de Craig. Dezoito anos. Ele deveria estar um ano à nossa frente da escola, mas perdeu tanta aula quando era mais novo que não o aprovaram para entrar no décimo ano. Disseram que ele estava atrasado demais. Aquilo era bobagem, porque ele era a pessoa mais inteligente que eu conhecia. Mas os professores gostavam de fazer esse tipo de coisa, gostavam de ter razão só pela razão. Foi durante o nono ano que o pai de Craig os deixou, mas ninguém se importou com isso. Quando Craig esteve sumido, ele estava procurando pelo pai, contou-me, mas acabou não o encontrando. Ele simplesmente desaparecera. Eu me segurei para não dizer que ele era sortudo, mas era isso em que eu estava pensando. Contei isso a Rebecca e ela ficou em silêncio por um bom tempo.

— Será que isso poderia acontecer com a gente? Você acha que um dia ele vai simplesmente sumir?

Balancei a cabeça.

— Ah, Hephzi, se isso acontecesse eu finalmente saberia que Deus nos ama.

Pobre Rebecca. Eu nunca olhava para trás quando descia pela árvore e corria pelo caminho até Craig. Eu sabia que ela ficava observando, mas nem queria saber quão solitária eu a fazia se sentir.

A festa de 18 anos de Craig, na Noite da Fogueira[10], seria melhor ainda que a festa na casa dele em setembro. Dessa vez, a festa teria um DJ e um bufê, e seria no clube de rúgbi do bairro vizinho, com direito a fogos de artifício. Eu nunca vira uma exibição de fogos de artifício, mas não contava isso a ninguém para não acharem estranho.

---

[10] A Noite das Fogueiras, ou *Bonfire Night*, é um evento anual que comemora a captura e morte, em 5 de novembro de 1606, de Guy Fawkes, um soldado católico que conspirou para matar o rei Jaime I da Inglaterra. Fawkes foi condenado à forca por traição, e a data é celebrada ainda hoje com fogueira e fogos de artifício. (N.T.)

Pam estaria na festa, o namorado dela, a quem Craig odiava, e seu irmão mais velho, Jamie. Eles me tratavam como se eu fosse da família, e todos nos apertamos no carro do namorado de Pam e fomos para lá juntos. Tive de me espremer no meio no banco de trás, e Craig estava sempre com o braço em volta de minha cintura. Eu ainda não dera seu presente, falei que era algo especial e que ele teria de esperar até mais tarde, mas imaginava que ele já sabia o que era.

Eu sabia o que teria de fazer com Craig para que ele soubesse que eu o amava de verdade. Quando eu era mais nova, encontrei um livro enquanto eu metia o nariz onde não devia, e aquelas fotos ficaram gravadas para sempre em minha mente. Senti a culpa arrastando-se por baixo de minhas roupas, quente e ácida, enquanto eu folheava as páginas, e, mesmo tendo ousado vê-las novamente, mantive-me longe do escritório de meu pai depois daquilo. Só de pensar em meus pais fazendo aquilo fiquei enojada, então nunca contei a ninguém, principalmente a Rebecca. Eu sempre pensava em quantos outros segredos haviam entre as paredes apertadas da casa paroquial, fossem dos que nos fazem corar, fossem dos que nos fazem tremer de horror.

Parecia que toda a escola estava na festa de aniversário de Craig, e eu estava feliz por estar bonita. Garotas com quem eu nunca falara antes me diziam oi e elogiavam meu cabelo e meu vestido. Pam me emprestara sua prancha de alisar cabelo e Craig me dera o dinheiro para o vestido e me levara até a cidade para comprá-lo, quando eu deveria estar na aula de Química. Era a melhor coisa que eu já possuíra. Decotado, curto e justo, eu poderia estar numa revista. Não ousei mostrá-lo a Rebecca, ela iria apenas dizer que eu estava parecendo uma vadia. Ela não fazia ideia do que as pessoas vestiam e, de qualquer forma, ela parecia um monte de trapos. Craig sugeriu que eu a convidasse, mas eu nem a chamei, e, caso ela falasse sim, sejamos honestos, isso teria estragado tudo. Craig e eu dançamos, depois dancei com Jamie e com algumas garotas da escola. As pessoas não paravam de falar que Craig e eu éramos um belo casal, e eu não parava de sorrir.

Todos saíram para ver os fogos de artifício e Craig me abraçou apertado enquanto eles estouravam em centenas de pequenas bombas no céu. Era lindo. Quando todos os outros voltaram para continuar a dançar, Craig e eu demos as mãos e corremos em direção à noite.

— Eu te amo — disse-lhe no escuro, e ele me beijou até eu ficar tonta, no campo atrás do clube. O chão estava um pouco úmido, mas nós não ligamos e caímos sobre a grama.

Foi quando aconteceu. Pensei que iria doer, mas não doeu. Ele foi delicado, sabia que eu era virgem. Há muito tempo eu contara a ele e perguntara se ele era também, mas ele balançou a cabeça dizendo que não.

— Mas isso foi antes de eu conhecer você — disse-me. — Se eu soubesse de você antes, teria esperado.

Não perguntei mais nada e ensopei meu travesseiro com lágrimas naquela noite.

Logo depois, voltamos para dentro e fiquei imaginando se alguém saberia. Escondi-me no banheiro por muito tempo, descansando meu rosto quente na parede fria do cubículo. Disse a mim mesma para não ser boba, passei um pouco de gloss, que estava quase acabando, e coloquei meu sorriso de volta no lugar, mesmo não sendo mais verdadeiro como antes. Eu não sabia por quê.

Quando saí, vi Craig dançando com Daisy. Eles estavam muito perto um do outro, do jeito que estavam naquela primeira noite no bar. Fiquei observando, e eles não se afastaram. Ela prendeu os braços em torno do pescoço dele e aproximou o rosto para cochichar algo ao ouvido dele. Não gostei do jeito que ele ria sem graça e olhava ao redor, como se tivesse medo de que os outros estivessem rindo dele também.

Assim que a festa acabou, voltamos para a casa de Craig. Pam me convidou para ficar, mas eu disse que não podia, e ela me deu um beijo na bochecha e foi para a cama com o namorado. Craig e eu nos sentamos sob a luz da lâmpada na sala de estar. Ele ficou me olhando por um bom tempo, então acendeu um cigarro e encostou-se no sofá, tirando seu braço de meu ombro.

— Você está quieta. O que foi?

As coisas não pareciam mais as mesmas entre a gente. Ele parecia zangado comigo.

— Você não se arrependeu, né?

Balancei a cabeça dizendo que não, apesar da leve vontade de chorar. Eu pensava que me sentiria diferente, que seria adulta. Em vez disso, eu só me sentia com mais medo. Roía as unhas imaginando o que eu deveria dizer.

— Eu não machuquei você, né?

Balancei a cabeça de novo, e ele me puxou e me beijou como se fosse a única coisa que o fazia feliz. Ele cheirava a cigarro e ao perfume de Daisy. Eu me afastei.

— Me leva pra casa agora?

Ele suspirou e se levantou sem esperar por mim, saiu e ligou a motocicleta. Sentei na garupa e tive de me segurar com força. Esperava que o vento secasse as lágrimas de meus olhos antes que ele visse. Desci na esquina escura atrás da casa paroquial e desejei que não fosse necessário escalar a árvore, mas eu não tinha escolha. Naquela noite, esperei até que ele fosse embora, pois não queria que ele visse, e percebi, de repente, que eu parecia uma idiota. Imaginei quanto tempo demoraria para ele terminar comigo.

Rebecca

Depois

Como eu era estúpida.

Então se constatou que Hephzibah estava certa. Eu estava me tornando arrogante. Claro que eu seria descoberta. Claro que haveria retaliações. Como eu pensava que poderia ficar fora sem permissão um dia inteiro e ainda escapar? Mais tarde, naquela mesma noite, mal-humorado por causa da bebida, ele se vingou. O Pai ligou para a Sra. Sweet na Casa de Repouso e anunciou uma gripe. Ouvi-os transportando para longe as camas de nosso quarto, ouvi o riso doentio e odioso dele, antes de me jogarem lá dentro. Agora, não havia nenhum lugar para me esconder, nenhum lugar para brincar de invisível. O quarto ecoava e gemia e, em algum lugar nas sombras silenciosas, eu ouvia o bebê de alguém começando a chorar.

— Psiu — implorei, mas o choramingo não parava, então encostei meus olhos com força contra o papel de parede e tentei bloquear o ruído em meu coração.

A Mãe confiscou minhas roupas, todas as que conseguira encontrar, que não eram muitas. Tentei ficar com a blusa azul, que se rasgou enquanto ela lutava para tirá-la de meus braços, desfazendo a trama. Eles esvaziaram as gavetas com seus conteúdos insignificantes e recolheram os fragmentos da maquiagem contrabandeada de Hephzi, os braceletes que sua amiga Daisy lhe emprestara e que eu nunca devolvi. Eles não encontraram a corrente de prata e o perfume, pois eu os colocara sob as tábuas soltas no canto embaixo da janela, e até agora estavam seguros. Então eles me deixaram ali praticamente sem comida e sem água. Não havia luz nem meios de ir ao banheiro. Eles me deixaram ali pelo tempo que puderam, mantendo-me quase viva. Meu aparelho auditivo foi totalmente destruído, ele o amassou com o sapato, e eu fiquei ali, na minha pilha de cobertores imundos, marcada pelo ódio dos Pais, incapaz de ouvir qualquer possibilidade de esperança. Hephzi não me confortava. Irritada e amedrontada, ela estava se escondendo, e, por companhia, eu só tinha aquela mancha escorrendo na parede.

Os bebês continuavam chorando e pensei que eu deveria cantar para eles. Procurando uma música, só encontrei desespero.

Um dia ele iria longe demais e eu morreria também. Eu podia sentir isso chegando, um rolo compressor passando rapidamente por cima de mim, e eu sabia que não podia deixar que isso acontecesse, não antes que de ter vivido livre pelo menos uma fração de minha vida. Rastejei até a janela e me arrastei até o parapeito para olhar para fora. Ele não colocara barras nem qualquer bloqueio, de modo que eu ainda podia abrir a janela e pular para fora se realmente quisesse. Ah, eu queria. No entanto, eu estava muito fraca e a queda acabaria comigo. Eu sabia que ele queria me destruir para que eu ficasse ali, uma escrava, uma bajuladora, para o resto da vida.

Eu não. Eu não.

A semana foi se desbotando, cinza, preta e marrom. O céu fora da janela era de concreto, tão duro quanto o desgosto. Gostaria de saber para onde fora o verão; talvez o sol tivesse morrido também. Meu quarto começou a feder depois de apenas alguns dias. Dores de cabeça chegavam, entravam e saíam do meu sono. Às vezes de dia, às vezes de noite, e, quanto mais tempo eu ficava com pouca comida e água, mais ficava claro que não conseguiria escapar pela janela. Se ao menos eu pudesse ouvir alguma coisa, ouvir os barulhos lá de baixo e saber que não fora abandonada. Eu me perguntava por onde andava a Sra. Sparks ou o carteiro; havia uma chance de ele sentir minha falta, não havia? Eu me perguntava se todos os habitantes do lugar haviam morrido e eu era a única sobrevivente de um terrível holocausto. Rastejando até a porta, tentei abri-la. Continuava trancada. Eu poderia apodrecer ali, ser reduzida a pedacinhos por ratos, e ninguém jamais viria para descobrir o que acontecera com a menina do rosto medonho.

Muito tempo antes, no passado, longe da loucura dele, eu compreendera pela primeira vez o que eu era realmente. Nós estávamos na casa de Vovó e a ajudamos a fazer um bolo, depois fomos brincar lá fora, revezando-nos para girar a corda uma para a outra. Hephzi começou primeiro, suas tranças voando, as bochechas cor-de-rosa, o ar divertido. Eu levei mais tempo, tropeçava na corda, desajeitada e estúpida, mas Vovó era paciente, e, por fim, eu consegui pular cinco vezes seguidas.

Foi escurecendo e esfriando, então Vovó nos levou para dentro de casa e nos pôs no sofá com direito a chocolate quente e fatias do bolo que tínhamos ajudado a fazer.

— Vou demorar apenas um minuto preparando um chá, meninas. Agora, sentem-se e façam esse pequeno trabalho para mim.

Ela nos entregara um livro enorme, pesado e grosso, suas páginas estalaram e sussurraram quando o abrimos.

— Aqui — disse ela —, encontrem uma página vazia e vejam se vocês podem colar essas para mim, meninas.

— O que é isso? — perguntei a Hephzi, que pegou imediatamente o pacote. Ela cantarolou toda feliz.

— Fotos! Fotos da gente, olhe! — Ela empurrou a primeira embaixo de meu nariz. — Olhe como eu sou bonita! E olhe esta aqui!

Ela espalhou as fotos por toda parte, fotografias que Vovó devia ter tirado em nossas viagens com ela, algumas na fazenda, algumas no parque. Eu sorria em todas elas, sorrisos grandes e feios, então finalmente reconheci o que todos viam tão claramente. Meu ímpeto aos seis anos de idade foi pegar as fotos e começar a rasgá-las. Rasguei-as, amassei-as e piquei-as, jogando-as fora. Hephzi começou a gritar e berrar, enquanto eu estraçalhava as evidências do que eu era.

— Vovó! Vovó! Venha rápido, Rebecca está rasgando tudo! Vovó!

Vovó veio correndo e me pegou no colo como se eu não pesasse nada, eu parei de agitar as mãos e me deixei segurar.

— Por que você fez isso, querida? — perguntou-me depois, baixinho para que Hephzi não acordasse.

Eu não conseguia responder-lhe e balancei a cabeça.

— Você sabe que não deve destruir as coisas. Aquelas eram fotos de que eu gostava, das minhas meninas queridas.

— Não — murmurei.

— O quê?

— Não. Você pode ver as fotos, você não devia olhar para elas. Eu sou uma garota má.

— Não, você não é. Não seja boba.

Eu não respondi e ela compreendeu.

— Você é perfeita, meu amor, diferente, mas perfeita. Você não pode mudar sua aparência, não é culpa sua. Você me entende, Rebecca? Você entende o que estou dizendo?

Ela me disse que eu tinha algo... uma síndrome. Eu perguntei se era possível contraí-la, como a um resfriado, e depois ela ir embora quando eu crescesse.

— Não — respondeu ela, com tristeza. — Infelizmente, não, minha querida, me desculpe.

Ela me disse que a síndrome se chamava Treacher Collins. Que os ossos de meu rosto não tinham se formado direito quando eu ainda estava no ventre de minha mãe e por isso eu era um pouco diferente.

— Mas Hephzi é minha irmã gêmea. Ela não se parece comigo. Por que não me pareço com Hephzi? Nós deveríamos ser bem parecidas.

Em seu colo, esperei com paciência por uma explicação. Ela não conseguia nem mesmo começar a desvendar o mistério para mim, pois eu era muito pequena para acompanhar o que ela dizia. Tudo o que sabia era que eu nunca mudaria.

— Mesmo assim, você é perfeita, você ainda é uma menina maravilhosa. Você entende?

Mesmo que eu compreendesse, não importava. Apesar de ela ter explicado o que havia de errado comigo e dado a isso um nome, apesar de ela ter dito que eu não era a única, os Pais decidiram quem eu era, e eu usava o ódio deles como um estandarte.

Depois daquele fim de semana, quando nós tínhamos seis anos e Vovó me contou tudo sobre mim, ouvi-a tentando ameaçá-lo. Ela disse que ia chamar o Conselho Tutelar e que eles me levariam para longe. Disse que ela mesma me levaria embora. Isso foi quatro anos antes de ele nos proibir de vê-la novamente.

Agora, em meu quarto, trancada e lentamente me dissolvendo, eu tocava meu rosto com os dedos e o sentia encharcando-se com minhas lágrimas.

Acordei no outro dia com a luz do sol cintilando pela janela e me arrastei para olhar para fora. Vi que a árvore ainda estava verde e que, apesar de tudo, ela ainda estava crescendo. Lembrei-me da vida e quis a minha. Eu observava a movimentação, esforçando-me para enxergar o contorno da casa até o longo caminho de cascalho que levava à porta da frente.

Eu sabia que estava desaparecendo. Sabia que não podia permanecer ali para sempre, esperando ser salva. Mas não queria que o desejo do Pai se concretizasse tão rapidamente, então me mantive firme. Era cedo demais para morrer. Mais cinco dias deviam ter se passado, talvez junho já tivesse acabado e julho estivesse começando, até que, finalmente, vi um movimento. A figura foi subindo a rua. Eu não conseguia ver muita coisa, mas sabia que não eram os Pais. O passo era diferente e comecei a ter esperança. Minha boca formou a palavra *Danny*, e talvez, se eu a respirasse no silêncio, ela poderia crescer e correr para encontrá-lo. Coloquei a palma de minhas mãos no vidro e fantasiei.

Logo depois que a figura recuou, poucos minutos depois, percebi o que devia ter feito. Devia ter aberto a janela e gritado, gritado por socorro. Como eu era estúpida. Eu não precisava que Hephzi me lembrasse de quão estúpida eu era!

Eu esperei que Danny voltasse, olhando pela janela, determinada a não perder a nova chance. Ninguém veio. Depois, no domingo, eles abriram a porta, como se fossem me deixar sair, mas me empurraram para o banheiro e jogaram a água fria do chuveiro sobre minha pele, que devia ser limpa e desinfetada. As garrafas estavam prontas. A Mãe desviou os olhos enquanto limpava, e ele olhava, entoando suas orações pecaminosas. Eu gritei e ela hesitou. Ele agarrou minha cabeça e a mergulhou na água. De novo e de novo e de novo.

Vovó me disse para nunca odiar. Se você odeia, você perde quem você é. Você não deve odiar as crianças que olham ou os adultos que apontam. *Apenas ignore-os, eles não valem suas lágrimas*, dizia-me. E eu acreditava nela. Agora já não sabia se conseguiria me controlar. Eu queria tanto odiá-los que isso machucava mais que qualquer outra coisa.

Eles me deram um pijama velho, pequeno e em frangalhos, de segunda mão e tão detonado que não servia nem para a caridade. Eles tinham levado todo o restante. Meus dentes batiam de frio, e eu passava os braços em volta de mim mesma, enquanto meus próprios gritos e os gritos que vinham das paredes até mim cresciam numa cacofonia de medo. Recuei para um canto e olhei com horror o borbulhar e o gemido do papel de parede atrás de onde a cama de Hephzi ficava, e o vi crescer e esticar-se e senti algo aproximar-se.

E então vi Hephzi. Ela estava lá, de repente, apenas por um instante, uma sombra dançando na janela.

É agora, disse-me. *A hora de agir é agora. A porta está aberta, corra para salvar sua vida, minha irmã. Corra!*

Hephzi

Antes

Quando você diz a uma pessoa que a ama, ela não deveria falar que lhe ama também? Acho que não. Acho que não era isso que sempre acontecia naqueles livros que Rebecca lia, mas eu achava que, com um pouco de sorte, comigo seria diferente. Eu pensava que Craig sentia por mim o mesmo que eu sentia por ele.

Ele não apareceu na escola até quinta-feira e a semana foi uma agonia. Não comi nem dormi, pensando no que fizera e imaginando o que ele pensava de mim. Talvez pensasse que eu era uma vadia, era o que todos diziam sobre garotas que transam com os caras por aí, mas eu só estivera com Craig. Eu rezava para que ele não tivesse contado a ninguém, mas achava que as pessoas estavam me olhando e falando de mim pelas costas. Rebecca me dizia para não ser idiota quando eu lhe perguntava se as pessoas estavam cochichando sobre mim. Claro que eu não contara a ela o que acontecera, apesar de ela provavelmente ter imaginado. Eu sabia que ela descobrira. A cara dela no domingo de manhã dizia tudo. Era como se estivesse escrito em minha testa.

Quando Craig finalmente entrou no pátio, na hora do intervalo na quinta-feira, ignorei-o, mesmo com meu coração batendo como se fosse explodir. Era difícil parecer tranquila quando se está sentada sozinha, então fingi que estava lendo meu livro de Química e prendi a respiração, esperando que ele viesse e as coisas melhorassem. Mas Daisy o segurou enquanto ele passava perto dos armários e pude ver pelo canto dos olhos que ela estava com o braço preso ao dele, jogando o cabelo para o lado e sorrindo com todos os dentes. Enfiei o livro na mochila, levantei-me e fui embora. Era para ser uma saída digna, mas acho que não deu muito certo, tinha quase certeza de que ouvi algumas risadinhas.

Como fui idiota. Pensei que conseguiria escapar, pensei que teria alguma chance e que tudo daria certo. Escondi-me no banheiro durante a tarde, olhando e olhando para a parede até parecer que meus olhos explodiriam.

Rebecca me esperou após a aula e fomos andando para casa. Ela viu meus olhos vermelhos, mas permaneceu muda durante todo o caminho, como uma esfinge.

Mais tarde, após passarmos pela farsa que era o jantar com nossos pais, deveríamos ir para nosso quarto estudar. Sentei-me na janela, imaginando se deveria escapar para tirar satisfação com ele. Era uma noite de novembro, fria e chuvosa, e o vento balançava a árvore, seus galhos se sacodindo como se ela estivesse sofrendo, e as folhas caíam rapidamente. Abri a janela e me inclinei para fora, deixando a chuva salpicar meu rosto. Inclinei tanto que meu corpo ficou metade para fora do parapeito. Se eu me deixasse cair, tudo estaria acabado.

— O que você está fazendo?

Ignorei minha irmã. Eu queria que ela sumisse, ela ficava me enchendo o saco o tempo todo, tentando entrar em minha cabeça, querendo saber.

— Feche a janela. Eu estou congelando.

— Não.

Rebecca levantou e tentou me colocar para dentro à força, até que eu, enfim, desisti. A janela foi fechada quase em minha cabeça e empurrei Rebecca, e ela me olhou como se eu fosse louca.

— Qual é o seu problema? Você se desentendeu com aquele garoto ou algo do tipo?

Ela odiava falar o nome dele. Que vaca.

— Não, por quê?

— Nossa, então por que você está tão triste?

— Eu fico triste quando eu quiser. Cuide da sua vida.

Sentei-me em minha cama e desejei ter meu próprio quarto e meu próprio espaço. Queria estar em qualquer lugar, menos ali.

— Você deveria esquecer isso. E fazer as pazes com ele. Não aguento mais isso.

Pensei no que Rebecca disse e fiquei imaginando por que havíamos nos desentendido. Eu não fizera nada, só fiz a ele o que pensei que ele queria. O problema deveria ser comigo, percebi. Era porque ele não dissera que me amava, e eu achava que o acordo era esse. Eu pensava que, se fizesse sexo com ele, a resposta seria que ele me amava, mas acabou não sendo assim, e eu o culpava por isso desde então. Ele não percebia quanto era importante que ele me amasse, quanto eu precisava que ele dissesse isso para que seguíssemos em frente e pudéssemos morar juntos. Levantei e abri a janela novamente. Se eu não fosse naquela hora, poderia perdê-lo para sempre.

Quando cheguei à casa de Craig, eu parecia um rato afogado. Pam abriu a porta e me olhou como se eu fosse uma doida antes de me levar para dentro e pegar toalhas e roupas secas.

— O Craig está em casa? — gaguejei, com os dentes batendo.

— Não, querida, mas vou ligar no celular dele e ver quando ele volta. Vocês andaram brigando?

Balancei a cabeça negativamente, depois concordei, sem ter muita certeza, e comecei a chorar como um bebê. Pam me abraçou como minha mãe nunca fizera, e pensei se realmente precisava de Craig. Pam poderia me adotar, seria o suficiente. Assim, Craig teria todo o tempo de que precisasse para se apaixonar por mim.

Escutei-a falando baixo ao telefone na cozinha e torci para que ela não estivesse falando nada ruim. Talvez estivesse contando a ele como sou uma fracassada e dizendo que terminasse logo comigo. Eu não sabia.

Ela voltou para a sala de estar com uma xícara de chocolate quente. Bebi rápido, estava delicioso, a melhor coisa que eu já bebera. Quando terminei tudo e lambi o resto da xícara, percebi que ela estava olhando para mim, um pouco confusa. Eu ri e passei os dedos pelos cabelos molhados e bagunçados.

— Desculpe, eu estava com sede. — Não contei a ela que aquela era a primeira vez desde meus 12 anos que eu tomava chocolate quente e que sempre foi minha bebida favorita. Vovó fazia com marshmallows e chantili.

— Você quer mais?

Assenti com a cabeça. Dessa vez tomei mais devagar, tentando não parecer que acabara de chegar de Marte.

— Craig está voltando, querida. Ele não deve demorar.

— Onde ele está?

Ela pareceu desconfortável por um momento, então ligou a TV. Ficamos sentadas assistindo a *EastEnders* juntas. Eu estava tão concentrada que quase não percebi quando Craig entrou.

— Tudo bem?

Ele ficou no vão da porta me olhando. No mesmo instante, Pam se levantou e nos deixou sozinhos. Sorri para ele, mas era um sorriso amarelo. Eu ainda sentia o gosto da chuva e das lágrimas em meus lábios, e Craig meio que sorriu de volta.

— E aí?

Ele estava indiferente e ainda parado no mesmo lugar. Não era assim que costumava ser. Na semana anterior, ele teria me abraçado e me beijado e falado que eu estava bonita mesmo que eu estivesse horrorosa. Respirei fundo e disse:

— Pensei em vir vê-lo.

Ele levantou uma sobrancelha, esperando, então tentei novamente.

— Senti sua falta — completei.

— Sério? Pois parece que desde aquela noite você tem me evitado.

— Não! — Ele franziu a testa, não acreditando em mim. — Por que você acha isso? Por favor, Craig, eu não estive evitando você. Eu juro!

— Tudo bem, então você não estava me evitando. O que mais?

— Como assim?

— Bem, por que você veio aqui? O que mais você tem para me dizer?

Eu não fazia ideia do que ele queria que eu dissesse, então me sentei, olhando para minhas mãos. O tema de *EastEnders* tocava ao fundo. Estava totalmente acabado. Eu não sabia por que ele queria que eu dissesse, por que teria que ser eu. Rebecca estava certa sobre ele o tempo todo, ele era um porco idiota. Conseguira o que queria e agora está agindo como se a gente nem se conhecesse. De repente, fiquei mais irritada do que triste, levantei-me e olhei para ele, bem nos olhos. Era o mesmo olhar que eu lançava à minha mãe quando queria que ela soubesse quanto eu a odiava.

— Vá se ferrar, Craig! Vá se ferrar!

Empurrei-o e segui de volta para a chuva. O jeans da mãe dele estava frouxo em torno de minha cintura e de minhas coxas, por isso segurei-o e comecei a voltar pelo caminho por onde andara havia apenas meia hora. Eu não sabia se estava chorando ou não, a chuva batia em meu rosto, encharcava minha roupa, deixando-me mais pesada, tentando puxar-me para baixo. Enquanto eu corria, murmurava e xingava, listando todas as coisas que eu faria com Craig se pudesse, todos os nomes pelos quais eu o chamaria, todas as maneiras como eu gostaria de machucá-lo. Carros passavam pela estrada, formando chafarizes em cima de mim enquanto eu corria. Então, uma moto freou do meu lado, os faróis reluzindo em meu rosto, protegi os olhos do brilho forte e parei, ofegando, ainda com raiva.

— Qual é o seu problema? — resmungou ele.

Eu não via que direito ele tinha de estar bravo comigo.

— Deixe-me em paz!

Continuei andando, mas ele desceu da moto e me agarrou, segurando-me com força.

— O que está acontecendo, Hephz? Qual é o seu problema?

— Não tenho problema nenhum! — gritei em seu rosto. — Você é a droga do problema, seu falso, você é mau, seu canalha, seu merda... — Tremendo e com espasmos, não consegui concluir e desabei contra ele. Toda a tristeza da semana anterior veio em torrentes, e minhas lágrimas eram cascatas de tristeza. Ele me abraçou por um tempão apesar de nós dois ficarmos ensopados. A copa da castanheira não nos mantinha secos e as gotas de chuva caíam sobre nós.

Ainda choramingando, afastei-me.

— Desculpe.

— Sem problema. Você vai conversar comigo agora ou não?

— Preciso ir para casa. Eles vão me matar se descobrirem que eu saí.

Craig suspirou e secou a chuva em seu rosto. Corri a curta distância de volta para casa e me arrastei para cima da árvore e para dentro. Rebecca me observava.

— O que você está vestindo? Onde você se meteu? Você saiu faz horas!

— Eles perceberam?

Ela balançou a cabeça e eu relaxei, tirando as roupas ensopadas e pendurando-as sobre o aquecedor na esperança de que secassem. Na verdade, elas precisavam ser torcidas na pia antes, mas eu não podia me arriscar.

— Você o encontrou?

Fiz que sim com a cabeça, mas não foi o suficiente para ela.

— O que aconteceu?

— Nada.

— Ah, jura? Então por que você estava chorando?

— Não me enche, Rebecca. Pare de viver sua vida através de mim, tá? Se você quer arrumar algo interessante para ocupar a cabeça, arrume seu próprio namorado. E me deixe em paz.

Ela ficou calada. Nós dormimos. Eu esperava que o dia seguinte fosse melhor.

No outro dia, no horário que Craig e eu deveríamos estar no colégio, estávamos indo para o litoral. Ele me pegou quando eu estava andando a caminho da escola e deixei Rebecca lá, parada, enquanto demos meia--volta e sumimos do bairro. Estava muito gelado e nos aconchegamos no casaco de Craig sob o píer. Ele me contou tudo. Aconteceu que, enquanto dançavam em sua festa, Daisy contara a Craig que eu ficara com outros caras. No começo, ele não acreditou, mas ela insistiu e até arrumou alguém para confirmar a história. Samara. Eu sabia que não deveria ter confiado nela. Se eu não tivesse ido à casa de Craig no dia anterior e agido como uma louca, ele ainda estaria acreditando nela. De qualquer jeito, ele percebeu que alguma coisa estava estranha. Finalmente.

Então estávamos juntos novamente e Daisy estava se mordendo de raiva. Eu nunca mais falaria com ela, eu a odiava. Craig concordou, mas, ainda assim, não dissera que me amava, mesmo eu tendo feito sexo com ele novamente. Na verdade, nós fizemos mais algumas vezes. Era melhor do que eu pensava que seria depois da primeira vez, que fora, basicamente, desconfortável, e escapávamos de volta para sua casa quando deveríamos estar na escola e passávamos o dia na cama. Era legal. Ele me trazia xícaras de chá, e nós fumávamos cigarros, e ele tocava guitarra. Craig ainda não mencionara nada sobre eu ir morar com ele, no entanto, eu estava tentando ser paciente e ficar tranquila.

Eu não podia acreditar que continuava fazendo tudo aquilo sem ser pega. A cada dia que acordava eu imaginava se seria aquele o dia em que me descobririam. Mas, então, por estar tão feliz e quase livre, esqueci de me preocupar e segui em frente sendo uma garota normal, fazendo coisas normais e me apaixonando.

Rebecca

Depois

Quase cega de pânico, fugi da casa paroquial. Eu não sabia que podia correr feito um lince, não sabia que eu conseguia ser tão rápida. Corri para fora do quarto e desci as escadas, primeiro um voo e depois outro, rápidos e leves, invisíveis na escuridão crescente.

Sombras tremulavam nas paredes e o teto brilhava com um resto de luz do sol. Não conseguia ver direito aonde estava indo e tentava fixar meus olhos à frente, para fugir.

Entretanto, eu corri muito rápido. Na pressa, meus pés tropeçaram um no outro, e rolei os últimos cinco degraus da escada, caindo no chão frio de pedra do corredor.

Levanta, levanta, vamos lá!, dizia a mim mesma, e minhas pernas me levantaram de novo, e eu corri para a pesada porta da frente. Estava difícil virar a chave na fechadura, e eu lutei com o metal duro, frio, tremendo por causa do barulho que fazia, mas imaginava que o rangido fosse um adeus. Atrapalhada pela pressa, eu estava demorando muito, e reuni todas as minhas forças para puxar as travas, estremecendo com o som dos parafusos e o gemido das dobradiças, que pareciam estar amaldiçoando minha partida. Aquela casa fora minha prisão por muito tempo.

Fechei a porta atrás de mim e me atirei na noite. Não conseguia acreditar que realmente ainda era verão e o ar quente da noite parecia um beijo. Eu me lancei no caminho que levaria para longe da casa, por entre as árvores e sob as estrelas, para o mundo além dali.

O cascalho machucava meus pés descalços e eu fugia e corria como fogo na palha seca em direção à calçada, selvagem e livre, mas quase tão fraca que poderia ter me deitado ali mesmo e dormido o tempo que fosse necessário para me recuperar. Então, ao alcançar o portão, parei por um momento e me virei. A casa paroquial apareceu atrás de mim, maciça, a porta ainda aberta, uma boca escancarada que levava às profundezas de meu passado e que me engoliria em sua última chance. De repente, tive mais medo do que podia controlar, minhas pernas balançaram e pensei que iriam fraquejar. *Você é mais forte do que isso!* Ouvi o sussurro do vento, enquanto luzes e sombras bruxuleantes se moviam na janela. Eles estavam vindo. E se me pegarem! A adrenalina foi direto para meu coração com essa ideia, então corri para a porta da Casa de Repouso, o único lugar aonde eu sabia que poderia ir. Era noite e os moradores deviam estar na cama, e rezei para que Danny estivesse lá.

Suki abriu a porta detrás, e caí para dentro, incapaz de falar ou respirar. Todos me olhavam, e desmoronei no chão, na frente deles. Minhas pernas tinham se diluído em água e eu era uma piscina de medo. Alguém me levantou e me levou para a sala de estar, e, pela força, eu soube que era Danny. À minha volta e atrás de mim havia um zumbido e rumores de comoção. Eu ainda era incapaz de ouvir, mas sentia a multidão reunida me perguntando coisas. Encontrei minha última gota de força e olhei, por cima dos braços de Danny, e os vi. Eles haviam ido atrás de mim. Tive um vislumbre do rosto vermelho de raiva deles, mas ainda assim sorrindo. Eles ficaram lá, conversando perto da porta. Eles estavam apontando para mim e falando tão rápido que eu não conseguia ler o que diziam. Danny me colocou deitada e os enfrentou, bloqueando seu caminho.

A sala caiu em silêncio. Olhei por entre meus dedos para tentar novamente ler os lábios do Pai.

— Isso é terrível. Pedimos desculpas — dizia o Pai. — Rebecca está doente, delirando, vamos levá-la para casa e chamar o médico.

— Ela é um pouco difícil, você sabe, a nossa Rebecca — acrescentou a Mãe. — Você sabe como os adolescentes podem ser problemáticos! —

Eu vi o Pai lançar um olhar para ela, dizendo-lhe que calasse a boca, que ele lidaria com a situação. Ela abriu seu sorriso tenso.

Danny permaneceu onde estava, de costas, uma barreira entre eles e eu. Rezei para que ele fosse forte o suficiente para mantê-los longe e que entendesse que era a única pessoa entre mim e um desastre. Eu já vira muitas vezes o Pai agir daquele seu jeito peculiar e não podia subestimar seu poder. Ele deu um passo adiante, segurando os braços e sorriu, ah, tão sincero. Eu li meu nome em seus lábios novamente. Ele iria enganar Danny e me levar de volta, dizendo que eu era louca, falando qualquer mentira. Eu tinha de impedi-lo. E agora sabia que podia.

Quando falei, Danny virou-se.

— Não deixe que eles me levem. Por favor, Danny, não deixe que façam isso.

Ele balançou a cabeça imediatamente. À medida que avançava, colocava os braços em torno de mim, uma barricada de amor tão forte quanto o aço. Ali estavam os braços de um pai que eu nunca tivera, e eu me abrigava atrás deles e de outras mãos, as mãos de meus amigos, de Suki e de Michaela, da chefe, a Sra. Sweet, que mantinham os Pais a distância. Eles devem ter percebido que havia pessoas demais para dominar, e, enquanto virávamos para ouvir a sirene que soava em nossa direção, eles se foram, fundindo-se nas paredes, com medo das consequências de tudo o que haviam feito. Alguma alma caridosa deve ter chamado a ambulância. Eu tive sorte, dessa vez não seria tarde demais.

— Eles se foram? — perguntei a Danny.

— Sim, sim, você está bem. Eles se foram. O que aconteceu? — Seu semblante era de choque.

— Não sei. Não me pergunte. Por favor? — sussurrei através de meus lábios secos, rachados. Tossi para limpar a garganta e minha cabeça caiu.

Eu me perguntei se algum dia eu iria contar.

Hephzi

Antes

Quando chegou o recesso de Natal, fiquei doente. Não sabia se era apenas saudade de Craig, mas era pior que isso, era horrível; eu me sentia fraca e enjoada o dia todo e só a visão da comida que a Mãe cozinhava me fazia correr para o banheiro a toda hora. Mas eu ainda tinha de trabalhar, ajudando com os corais, preparando a igreja para os eventos de Natal, enviando informativos, indo a reuniões e cerimônias de Advento, limpando a casa paroquial. O Pai nos fazia trabalhar mais duro do que nunca. Como não tínhamos a desculpa da escola, ele estava recuperando cada minuto perdido. Rebecca e eu mal parávamos para respirar ou para comer, sempre havia algo mais a ser feito. Ela me dava cobertura nas minhas atividades quando eu me sentia muito mal, e, às vezes, eu escapava para o quarto e tirava um cochilo. Porém, quando chegava a noite, eu começava a me sentir melhor e, quando escutava a moto de Craig na rua, saía da cama e descia para encontrá-lo. Por algum motivo ele discutira com sua mãe, então tínhamos de ir ao pub ou ao ponto de ônibus. Quanto antes eu me mudasse, melhor seria. Talvez conseguíssemos um lugar só nosso.

Craig me perguntou por que eu estava sempre doente. Expliquei que provavelmente era um virose, só isso.

— Você está tomando pílula, né? — indagou ele. Eu não fazia ideia do que aquilo significava, então concordei com a cabeça. O rosto dele brilhou instantaneamente. — Deve ser um vírus então. — E concordei outra vez.

Mais tarde, perguntei à Rebecca o que isso queria dizer. Ela balançou a cabeça e pareceu mais preocupada que nunca.

Eu queria que o feriado de Natal acabasse logo. Nós ficávamos tão ocupadas indo às cerimônias que eu não tinha nem chance de fugir para ver Craig, e ficava preocupada que ele viesse e batesse à nossa porta, como ameaçara fazer quando eu falei que não podia ir vê-lo. Ele fez as pazes com sua mãe e ela queria que meus pais fossem visitá-los para tomar vinho quente e comer torta. Eu disse que não e Craig ficou chateado.

— E que tal se você fosse lá em casa no dia de Natal? — sugeriu ele. — Não vejo você direito faz tanto tempo. Eu poderia pedir a minha mãe para você passar a noite, acho que ela não teria problema com isso. O que você acha?

— Não. Eu não posso. — Eu estava quase chorando. Sei que é bobagem, mas tudo me fazia choramingar ultimamente.

— Tudo bem. Como quiser. Só não chore, OK?

Engoli o choro e sorri, apesar da vontade que eu tinha de berrar. Se pelo menos eu tivesse coragem de contar para ele minha ideia de me mudar de uma vez; mas, se ele cortasse o meu barato me dizendo que não, seria pior do que qualquer coisa.

Ele apareceu uma noite, na antevéspera do Natal, e ouvi sua moto roncando na esquina. Debrucei-me na janela para espantá-lo de lá. Era muito perigoso, São Roderick e Mãe Maria estavam no andar debaixo com uma porção de seus comparsas, a Sra. Sparks e sua turma, e ele estava sóbrio e alerta, tomando chá e se fazendo de santo. O Pai estava animado porque pelo menos uma vez ele era quase importante, e eu devia estar lá embaixo também, sendo a senhorita Perfeitinha. Ele poderia subir a qualquer instante para me arrastar de volta às minhas tarefas. Mas Craig disse que, se eu não descesse, ele subiria, então tive que deslizar pela janela. Eu dizia palavrões enquanto descia rapidamente pela árvore, desfiando a roupa e embaraçando o cabelo.

— O que foi?

— Linda. — Ele sorriu para mim, determinado a não se sentir ofendido. Deixei que me beijasse.

— Aqui. — Ele mexeu em seu bolso e tirou uma caixinha, fina e quadrada, a qual peguei de sua mão.

— Devo abrir agora?

— Não. É para o Natal. Já que você não vai passar na minha casa, achei melhor fazer uma entrega especial.

— Obrigada — sussurrei, segurando a caixinha como se alguém estivesse prestes a roubá-la de mim.

— De nada. Eu a vejo em breve.

Vi Craig ir embora, chateada por não dar um presente a ele, e determinada a abrir a caixa assim que possível.

A corrente de prata com minha inicial pendurada escorria em minhas mãos como se fosse mágica. Eu jurei que nunca iria tirá-la e a coloquei no pescoço, certa de que ela tinha poderes especiais, certa de que era um sinal.

O dia seguinte era véspera de Natal, e, apesar de todos os meus protestos, Craig apareceu para a missa da meia-noite com Pam. Eu não acreditava que ele fizera isso. Eu lhe dissera mil vezes para não ir à casa paroquial ou à igreja, e lá estava ele, andando e sorrindo para mim. Estava vestindo um sobretudo, que eu nunca vira antes, estava bonito e parecia mais velho. Sentia meu coração batendo nos ouvidos e o banco se inclinava sob mim como se o mundo estivesse girando sem controle, não mais perfeitamente suspenso no universo, mas caindo depressa em direção ao sol. Rebecca os viu também e nossos olhares se encontraram no limite de algo terrível. Então, a Mãe me cutucou de volta à realidade com seu cotovelo fino e virou sua cabeça para trás, sentindo minha ansiedade, e pude ver que ela percebera. Seu olhar parou em Pam e Craig, sentados algumas fileiras atrás de nós e, quando Pam sorriu para ela, ela virou a cabeça para a frente novamente, e seus olhos arregalados olharam para meu Pai. Haveria problemas mais tarde.

O Pai começou a cerimônia. Ele entonou as orações de seu jeito natalino usual. Ele adorava essa celebração porque muitas pessoas apareciam, mesmo que algumas fossem os bêbados do pub, e ele dava um sermão superlongo, provavelmente para puni-los por não aparecerem durante o resto do ano.

— O nascimento do Cristo menino é um momento de alegria a ser compartilhado. Nós damos as boas-vindas a essa celebração para compartilharmos essa alegria. Em toda a nossa vida, a chegada de uma criança é uma bênção de tamanha magnitude que mal pode ser expressada. Mas o nascimento do menino Jesus, vindo para salvar os pecadores, para carregar o pesado fardo da humanidade, é uma dádiva além da compreensão humana. Para fazer o sacrifício de si mesmo, ser o último e não o primeiro. É isso que Jesus Cristo, uma criança simples e humilde, ensinou, e é uma lição que todos devemos aprender.

E assim ele continuou, tentando alcançar sua congregação com os braços estendidos. Ele normalmente conseguia manter o demônio fora do sermão de Natal, mas nesse ano ele não resistiu. Achei que fora especialmente para mim, pois ele me olhava fixamente enquanto lambia os lábios e continuava.

— Então abençoado seja Deus por mandar Seu filho para nos salvar do demônio. Abençoado seja quando Ele veio nos salvar da tentação da luxúria, do brilho da ganância e do sono da preguiça. Confessemos nossos pecados como um só aqui esta noite e deixemos essa igreja renovados em nossa fé, mais determinados a banir o demônio e seus desejos de nosso coração. Celebremos o Natal surdos para a batida dos tambores do demônio.

Ele estava com tudo aquela noite. Eu achei que ia passar mal.

Alguns "améns" foram murmurados e o coral começou a cantar um hino. Meu favorito sempre foi "Away in a Manger"[11] eu já o cantara uma vez, sozinha, mas não iriam cantá-lo aquela noite, então não participei. Meus lábios mal se moviam, e os de Rebecca tampouco. Ela apertou meus dedos com força, como se não fizesse mais sentido nos preocuparmos se ele veria ou não.

Eu não ousaria olhar para trás de novo.

Quando o coral finalmente terminou o último hino, peguei na mão da Mãe e corri para fora da igreja antes que Pam tivesse a chance de nos alcançar. Eu vi que ela estava segurando algo em forma de garrafa e imaginei que trouxera algo para presentear meus pais. Meu Deus! Se ela falasse com eles, seria o fim, nossos segredos seriam revelados e tudo estaria acabado. Ainda era muito cedo, eu não estava pronta. Não fizera as malas, nem sabia como ir embora. E Rebecca, o que ela faria se eu fugisse? Arrastei a Mãe comigo, de volta à casa paroquial, e Rebecca veio junto, apressada, ainda segurando minha mão. Mas isso não estava certo, não era permitido, nós deveríamos estar na frente da igreja nos despedindo da congregação e lhe desejando Feliz Natal, atuando segundo nosso papel. Em vez disso, escondemo-nos atrás da porta da casa paroquial. A Mãe olhou para mim.

— O que está acontecendo?

— Nada.

— Então o que você acha que está fazendo? — Ela me empurrou, tentando passar, mas fiquei firme no lugar.

— Nada.

Ela virou para Rebecca:

— O que está acontecendo aqui?

[11] "Away in a Manger" é uma cantiga de Natal composta em 1885, na Filadélfia, e muito difundida entre os países de língua inglesa. É uma das cantigas de Natal mais populares na Inglaterra. (N.T.)

Reb ficou em silêncio e ganhou um forte tapa no rosto. A porta da frente se abriu e eu caí para o lado. Ele entrou. Eu não acreditei, ele estava sorrindo e minha boca relaxou por um segundo, aliviada. Então percebi o que aquilo significava e me encolhi atrás de minha irmã, cujo corpo frágil estava firme como um escudo. Atrás dele vieram Pam e Craig. Todos estávamos juntos no saguão.

— Maria, esse é o namorado de Hephzibah, Craig, e sua mãe, Pam. — A Mãe deu um passo e apertou a mão de Pam, e sorriu, como um ser humano normal. Eu sabia que ele convidara os dois só para que eu tremesse de medo por mais tempo e eu não estava aguentando. Eu queria que fossem embora naquele minuto. Eu queria pegar minhas coisas e ir com eles. Rebecca poderia ir também.

Pam estava sorrindo para mim, muito satisfeita. Ela estava louca para conhecê-los. Por que eles ficariam longe, como eu pedira?

— Craig e Hephzibah já estão namorando há um bom tempo, Maria, é o que Pam estava me dizendo. — Eu não ousava olhar para meu pai. — Sabe, eu bem que imaginava que algo estava acontecendo, não é engraçado, Pam? Um filho pode tentar ser discreto, mas nós, pais, os conhecemos muito bem.

— Ah, sim, Craig sempre foi um pouco assim também. Mas nós adoramos a presença de Hephzi, ela é uma garota adorável. Vocês devem ter muito orgulho dela.

— Certamente, é claro. — O Pai sorriu e olhou para mim. Craig também. Achei que ele queria que eu dissesse algo e pensei no que deveria dizer. Deveria ter me oferecido para colocar água para ferver? Ou para pegar um bolo de Natal que minha mãe tão carinhosamente assara para uma ocasião como aquela? Duvidei que fosse isso. Em vez disso, tentei sorrir de volta para todo mundo, mas o sorriso morria em meus lábios. Rebecca segurava minha mão com ainda mais força. Ela dissera que isso aconteceria, mas eu achava que poderia fazer meu plano dar certo.

— Foi um prazer conhecê-la, Pam. Veremo-nos novamente, com certeza — disse o Pai. Eles não perceberam a frieza de sua despedida porque estavam longe, desejando Feliz Natal, acenando com as mãos. *Adeus, Craig,* pensei. *Adeus.*

A porta se fechou silenciosamente atrás deles. O Pai se virou. Ele nos colocou para dentro, formávamos uma fila na frente dele. Havia um silêncio que era mais imóvel e escuro que a noite, e esperamos a bomba explodir. Eu estava pronta para correr. A garrafa que Pam dera para ele acertou a parede atrás de nós e se estilhaçou; o vinho se espalhou e escorreu como sangue, e o barulho finalmente tomou conta. Ele não parou para fazer perguntas. Nada poderia justificar o descumprimento de suas regras e ele não estava interessado em escutar minhas desculpas. Não. Ele foi direto para a punição. O Natal enfim chegara.

Acordei no meio da noite, estava muito cedo para já ser de manhã, e por um momento imaginei o que havia de errado comigo. Então me lembrei da surra e senti minha bochecha inchada, movi meu ombro deslocado. Aquelas dores eram familiares; não eram elas que tinham me acordado. Então senti uma umidade quente entre as pernas. Minha menstruação, finalmente, pensei, e tentei sair da cama para me limpar antes que a bagunça ficasse maior. Mas de repente senti um grande jorro descer pelas minhas pernas e pus a mão bem onde ele me chutara na barriga e me dobrei de dor. Imediatamente, Rebecca estava ao meu lado.

— Hephzi? Você está bem?

— Não. — Eu mal conseguia falar ou respirar e desabei no chão. Ouvi-a ofegar quando ela acendeu a luz e viu o sangue. Ouvi-a perguntar-me o que deveria fazer, mas tudo que eu sentia era dor. Eu imaginava, enquanto estava lá, por que ela não ia buscar socorro, eu tinha certeza de que deveria, mas também sabia que ela estava com medo e, enquanto eu sangrava, imaginava o que poderia estar acontecendo comigo e o que ele fizera.

— Está tudo bem — disse ela. — Vai passar rápido.

Eu não imaginava como ela poderia saber disso já que eu não sabia o que havia de errado comigo. Talvez eu tenha lhe perguntado, no entanto, ela me mandou ficar quieta, pensei tê-la ouvido dizer que era apenas um bebê e que eu não deveria me preocupar, mas eu não sabia como isso poderia ser verdade. Ela pegou um pano frio para colocar em meu rosto e esperei me sentir melhor.

A dor, entretanto, piorou, e a noite escura parecia aumentar enquanto a dor se espalhava por minhas pernas. Minha cama estava coberta de toalhas e eu estava deitada lá, imóvel e sangrando. Eu devia estar morrendo. Ninguém nunca me disse que era assim que a gente morre. Comecei a tremer e pedi mais cobertores a Rebecca. Ela pairou sobre mim, seu rosto era uma pequena estrela próxima do céu.

Sonhei um pouco que estava andando muito rápido com Craig em sua moto, e gritei quando caímos em direção a um abismo negro. O sonho me fez acordar assustada de novo, e eu estava suando e muito quente, então joguei os cobertores para o lado. Quando vomitei, Rebecca estava lá me segurando, dizendo-me que eu estava bem. Eu sabia que não estava. Ela me trouxe água, mas vomitei de novo.

A noite era tão longa.

— Reb, por favor, me ajude — implorei.

— O que eu devo fazer? — perguntou novamente, mas eu precisava que ela assumisse o controle. Ela sempre me protegera. Por que não agora?

— Devo chamá-los? — questionou, e eu concordei. Ela sumiu e depois voltou, mas ainda sozinha. Eu chorava por causa da dor e por causa de todo o restante, e então me esqueci de quem eu era e para onde ia. Houve um momento em que pensei ter ouvido a voz de Craig, lá fora, gritando por mim, e me sentei, assustada, mas era apenas Rebecca colocando água em minha boca, implorando-me para beber enquanto enxugava o suor de meu rosto.

O dia amanheceu, cinza e tedioso. Nós nunca havíamos aberto as meias de Natal, nem uma, pensei de repente. Ouvi-os gritando para descermos e irmos para a igreja, e Rebecca colocou uma roupa, beijou-me rapidamente e saiu. Os sinos estavam tocando, ah, venham todos os fiéis, e os ouvi saindo sem mim. Quando a porta bateu e a casa ficou vazia, chorei e pensei se veria minha irmã novamente.

O dia se arrastou. O sangue continuava saindo. Eu me sentia cansada e fraca e não conseguia mais falar. Tentei encontrar um pano frio em meu colchão, eu precisava descansar, eu precisava de paz. Rebecca voltou e cuidava de mim. Quando a noite chegou novamente, uma sombra pairou sobre minha cama. Meu pai. Tentei alcançá-lo com a mão, olhá-lo no rosto e pedir socorro. Ele se virou e me deixou lá.

Alguém chamou uma ambulância, ouvi o barulho ao longe.

PARTE DOIS

Rebecca

Ela morreu por causa de uma infecção. Foi isso o que disseram. O sangue que ela perdera, o bebê que ela deixara no chão de nosso quarto, não foi o que a matou. Fora o veneno enraizado que a atacou até que ela não conseguisse mais lutar. Ninguém culpou o Pai. Ninguém interrogou a Mãe. Ninguém perguntou por que eles não a levaram mais cedo. Se eu não tivesse chamado a ambulância, ela nunca teria nem mesmo ido ao hospital. Acho que ela já estava morta quando a ambulância chegou.

Claro que me culparam. Disseram para todos que eu mantivera isso em segredo, que eu a mantivera trancada lá e fingira que ela estava com gripe para protegê-la porque eles haviam brigado. Apenas uma discussão de família, você sabe como é. Claro que ia ver como ela estava todas as noites, mas, uma vez que perceberam a situação, bem, isso tudo acontecera muito rápido, e o que eles fizeram para tentar ajudá-la foi inútil, pois era tarde demais. Via a Mãe derramar suas lágrimas de crocodilo enquanto apontava o dedo para mim, e o médico balançou a cabeça e colocou a mão em seu ombro para confortá-la. Era uma tragédia, ninguém poderia ter previsto que Hephzi iria embora tão cedo, ela realmente não deveria se culpar.

Na manhã seguinte à morte de Hephzi, voltamos para a casa paroquial e tive de limpar a bagunça. As toalhas molhadas no banheiro transformavam o branco encardido das peças de porcelana em vermelho, manchas que pareciam flores carmesins pintavam o chão e minhas mãos enquanto eu arrastava lençóis e roupas pelo quarto até o banheiro. Ele bebia lá embaixo enquanto eu limpava. Ela estava sentada na cozinha fazendo suas orações. Deixamos Hephzi lá no necrotério, fria e sozinha, sem nem mesmo seu bebê para acompanhá-la. Eu queria sair e voltar lá para ficar com ela, para segurar sua mão e contar uma história, mas não ousei pedir. Em vez disso, esperei as horas passarem em nosso quarto, meu quarto, perguntando-me se tudo aquilo não fora apenas um sonho. Uma semana depois, o funeral foi realizado. Fizeram-me usar um vestido dela e choraram lágrimas falsas. Todo mundo sabia que eu era a única culpada.

Ninguém nunca falou comigo ou com Hephzi sobre bebês. Nós duas aprendemos da maneira mais difícil.

Eu devia ter imaginado que ela estava grávida quando ficou doente por todo aquele tempo e com a menstruação atrasada. Talvez eu soubesse, mas estava escondendo de nós duas. O curioso é que Hephzi gostava de crianças pequenas. Eu sempre achei que crianças eram irritantes. Quando éramos mais novas, uma de nossas tarefas era cuidar das crianças menores enquanto os pais estavam em suas reuniões de oração ou em alguma das atividades do Pai. Uma das mães normalmente próxima para ficar de olho em nós, eles ficavam incomodados quando me viam tocar seus filhos, embora sempre conversassem com Hephz.

— Você é boa com bebês. O que acha de ser nossa babá uma noite dessas? — perguntou uma senhora certa vez. Ela era bastante nova na cidade e não sabia como as coisas funcionavam.

— Ah, obrigada, seria ótimo! — Hephzi era idiota o suficiente para pensar que isso seria realmente possível. Minha irmã poderia esperar sentada.

— Você quer ter filhos quando for mais velha, sabe, quando você for casada? — continuou a mulher. Tentei não revirar os olhos.

—Talvez. — Hephzi fez uma pausa. — Eu não sei ao certo... Como você conseguiu um bebê?

A mulher deu um sorriso engraçado.

— Ah, você deve perguntar à sua mãe, ela vai lhe contar tudo sobre isso.

Acho que ela pensava que uma garota de 11 anos de idade deveria conhecer os fatos da vida. E ela deve ter contado à Mãe sobre a conversa, porque depois disso ela limpou nossa boca com sabão, fazendo-nos vomitar, até que ele nos encarou e disse para que nunca mais tocássemos nesse assunto sujo novamente. Hephzi não estava satisfeita com isso e ela se perguntava e se perguntava. Talvez Vovó nos tivesse explicado se houvesse tido uma chance. No momento em que fui para a escola, todo mundo sabia tudo o que havia para saber e ninguém pensou em nos contar. Isso era notícia velha. Não para Hephzi. Nós nunca tínhamos estudado biologia, nunca praticamos como colocar uma camisinha numa banana. Fiquei de boca aberta quando Archie me disse que eles fizeram isso no nono ano e que ele riu disso mais tarde com sua mãe e seu pai.

Tudo que Hephzi sabia era que isso era uma coisa suja, a coisa que a Mãe disse que não deveríamos fazer, porque se o fizéssemos iríamos para o inferno. O mesmo ela falou sobre nossa menstruação. Fora o diabo que fizera que sangrássemos todos os meses. O sangue estava lá, um sinal do diabo, assim como o meu rosto, para nos lembrar de que éramos podres. Acreditei nela por um tempo até Hephzi descobrir por meio de uma menina do grupo da igreja que era tudo normal e apenas parte do crescimento. Elas conversaram sobre isso sussurrando no banheiro durante uma reunião na igreja. Hephzi poderia saber que ela estava indo para o inferno por fazer o que fez com Craig, mas ela não sabia que teria um bebê. Coitadinha. Craig nem imagina, e eu nunca vou lhe contar.

Depois que escapei da casa paroquial e fiz minha corrida louca para a Casa de Repouso, uma ambulância veio e me levou para o hospital.

Talvez tenha sido a mesma que levara minha irmã morta, seis meses antes. Danny veio comigo. Agarrei-lhe a mão, mas ele afastou meus dedos rígidos, pousando minha mão sobre os lençóis brancos para deixar que me medicassem e colocassem o soro e os curativos. Eles iriam me manter viva, e eu iria sobreviver. Hephzi deveria ter passado pelo mesmo. Ela poderia ter passado pelo mesmo se eu tivesse pedido ajuda um pouco mais cedo.

As enfermeiras me fizeram perguntas, mas fiquei quieta, não havia necessidade de responder, elas não acreditariam em mim; por que deveriam? Eu vira isso antes. Danny voltou e eu lhe pedi que não me deixasse sozinha novamente, e ele concordou com a cabeça.

A menos que Danny estive lá presente, o Pai poderia aparecer e me levar de volta para a casa paroquial, e eu não escaparia de lá novamente. Acho que ele entendeu que essa era minha única chance.

Danny falou que ia chamar a polícia, mas balancei a cabeça com tanta força e disse-lhe que eu me mataria se ele fizesse isso, então ele se encolheu em sua cadeira como um grande urso que recua e volta para sua caverna. Ele disse que aquilo poderia esperar, mas só até eu me sentir melhor.

No entanto, alguém chamou a polícia. Uma policial apareceu no dia seguinte, com seu bloco de notas, e fez perguntas. Fingi que estava dormindo. Ela não desistiu e voltou todos os dias até que, por fim, tive de me sentar e falar, apenas na esperança de me livrar dela.

— Rebecca, como você está?

— Bem. — Olhei para ela com atenção. Eu não gostava do jeito que ela olhava para mim, acho que ela pensava que eu era um incômodo.

— Então, você pode me explicar como veio parar aqui?

— Não.

— Pense novamente, durante a noite em que você foi ferida, o que aconteceu?

Isso era ridículo. Na noite em que fui ferida? A qual noite ela estava se referindo? Eu nunca iria dizer a ela. E sua voz soou aflita, eu não queria deixá-la com raiva de mim, mas era precisamente isso que aconteceria se ela percebesse que eu estava mentindo. Eu simplesmente balancei a cabeça.

— Você não precisa ter medo, Rebecca, ninguém pode machucá-la agora, você sabe disso.

Isso é o que ela pensava. Ela não sabia sobre o Pai. Ele matara a Vovó. Ele matara Hephzi. E eu era a próxima em sua lista.

— Você sabe que os médicos me mostraram seus raios X. Eu vi todas as provas. Tudo de que preciso é uma palavra sua.

Dei de ombros e ela suspirou e se levantou para sair, virou-se e caminhou até a porta e depois parou.

— Se alguém fizesse com meus filhos o que fizeram com você, bem, eu não seria responsável por minhas ações, minha querida. Eu vi cada cicatriz, contei cada fratura em seus raios X, as velhas e as novas, ouvi sobre suas contusões e sobre como você grita enquanto dorme. Sei que você está com medo, Rebecca, mas você tem de parar com isso. Você tem de ser corajosa. Eu estarei pronta quando você estiver.

Por um momento, ela quase me convenceu. Eu a vi com as crianças, lendo histórias para elas, brincando com joguinhos em casa num dia chuvoso, assando bolos de aniversário. Por um momento, eu quase fui convencida. Mas então me lembrei de quão poderoso ele era. Ele escaparia impune, mentiria daquele seu jeito, deixando minha história sem sentido, e faria todos pensarem que eu era louca. Ele iria mostrar as correntes com as quais eu estava presa quando estava prestes a fugir dizendo mentiras sobre mim. Afinal, um homem de batina era mais sagrado que a lei. Sua palavra era divina. Danny veio novamente e tentou convencer-me a falar, mas não dei ouvidos a ele. Pela primeira vez, eu iria fazer as coisas do meu jeito.

Então veio o psiquiatra. E a assistente social. Em seguida, os alunos e os terapeutas e, logo depois, a policial novamente. Ela olhou para mim com tristeza.

— Você não vai continuar sendo boba, não é, Rebecca?

Virei o rosto para a parede. Era fria e branca e borbulhava de segredos.

— Se me disser o que aconteceu, então vou garantir que quem fez isso com você seja punido. Vou fazer isso para que nunca mais possa ferir outra pessoa.

Ela caminhou em círculos ao lado da cama e, então, encontrou minha mão fechada em volta de uma bola de gaze branca e a segurou.

— Por favor, deixe-me ajudá-la. — Ela desapareceu no borrão formado por minhas lágrimas, mas eu sentia a pressão contra meus dedos enquanto ela os apertava e dizia palavras de conforto frias e vazias.

Eu não podia falar com esses estranhos. Enquanto os médicos me cutucavam e me empurravam, colocando em mim uma prótese auditiva e sugeriam uma cirurgia em meu queixo e conversavam sobre como eu era um caso incomum e muito fascinante, fingi que estava com Hephzi; eu, Hephzi e Vovó sentadas num balanço num parque com lago, balançando cada vez mais alto, cantando e rindo, no azul do céu.

Foi no dia que Danny me levou de volta para sua casa que a história finalmente veio à tona. É como se estivesse esperando sua chance, esperando por um lugar seguro para as palavras fugirem de seu esconderijo. Abri a boca e as palavras saíram como ratos seguindo o Flautista de Hamelin. Logo a sala estava cheia com os sons da praga que eu libertara. Nos trechos mais difíceis, Danny saía da sala e eu podia ouvi-lo quebrando coisas na cozinha. Mas não me preocupava. Eu sabia que ele não estava zangado comigo.

Não contei a ele sobre o bebê que chorava no quarto. Lembrei-me das mais profundas cicatrizes, as histórias que eu escondia, aquelas que não podia explicar. Algumas coisas eram muito vergonhosas para mostrar até mesmo aos seus amigos. Meu bebê teve de ficar lá atrás, em nosso quarto, oculto pelo papel de parede. Gostaria de saber se Hephzi estava cuidando dele, e o medo me atingiu mais uma vez, um choque como uma ferroada no coração. Eu esperava que ela estivesse segura.

Por um segundo, vi o rosto de Hephzi no dia seguinte à festa de aniversário de Craig. Ele estava marcado com o vergão de uma correia. Ela permitira que ele fizesse isso com ela. *A coisa*. A coisa imunda.

— Não me olhe desse jeito — falou. — Pare com isso, Rebecca!

Eu não disse nada. Levantei, arrumei minha cama e desci para começar as tarefas. Para mim, foi um dia como qualquer outro, para ela, bem, era diferente. Ela nunca me disse como, ela queria manter seu segredo.

Hephzi pensava que eu não sabia de nada. Ela pensava que eu era uma inocente abençoada. Mas acho que por um bom tempo eu provavelmente sabia mais que ela. Enquanto o corpo dela cresceu, o meu manteve sua estrutura óssea infantil, e imaginei quanto tempo se passaria até que eu pudesse desaparecer.

O Pai não me queria, ele queria Hephzi. Era óbvio. Eu via nos olhos dele após sua ronda pelos quartos e percebia como ele procurava suas curvas, sua perfeição vital. Embora batesse nela, ele nunca ia longe demais, o nariz dela permanecia intacto, as costelas a mantinham forte e ereta, e mesmo com os dedos flexionados ela era graciosa e bonita. Mas, quando ele olhava para a linha de suas costas, para seus belos ombros, para a boca e para os seios, eu fazia qualquer coisa estúpida para distraí-lo e lembrá-lo de me odiar em vez de machucá-la.

Uma vez ele foi bastante longe. Eu não contei a ninguém como foi aquela noite de domingo, quando ele estava tão bêbado e com tanta raiva emergindo. Eu estava com apenas 13 anos, ainda tinha muito medo dele, meu coração estava com hematomas negros e azuis.

Ele fizera Hephzi sentar-se em seu colo e ler para ele. Ela era muito alta e suas pernas pendiam sobre as dele, tocando o chão. Ele gostava do Antigo Testamento, mas Hephzi não era boa em leitura em voz alta, e as palavras longas e antigas a faziam gaguejar e tropeçar.

— La... lamen... desculpe, Papai! — Ela procurou dar um sorrisinho e encontrar perdão no rosto dele antes de tentar de novo. — Lamentata... lamenta... — Ela tossiu e olhou para mim. Eu murmurei a palavra lentamente para ela: *La-men-ta-ções*, então ela balançou a cabeça, feliz por ter conseguido.

Vi a mão dele contrair-se e vi seu dedo como a esfaquear uma e outra vez a página conforme ela errava as palavras. Foi cansativo esforçar-se contra a tensão, esperando uma pausa. Meu corpo implorou para cair contra a cadeira, para desinflar e murchar, mas minha vigilância era tudo o que manteria a minha irmã segura. Ele esvaziou o copo e a mandou buscar mais e, quando ela passou por mim, eu lhe disse com os olhos que não voltasse. Hephzi assentiu com a cabeça e esperei sentir seus pés na escada.

Um instante depois que ela saíra da sala, o Pai caiu repentinamente no sono. Pensei que eu estivesse livre também, era só sair de mansinho e deixá-lo ali em seu estupor. Mas devo ter sido desajeitada ou feito algum barulho, porque ele sacudiu a cabeça e acordou enquanto a porta traía minhas intenções com um gemido de Judas.

— Onde ela está? — perguntou, com a voz grossa e os olhos piscando.

— Ela foi para a cama. O senhor dormiu. Devo ler agora?

Ele balançou a cabeça descontroladamente como se tentasse escapar de uma abelha que zumbia em seus ouvidos, ficou de pé e então avançou.

Eu devia ter corrido, mas para onde? Eu não poderia fazê-lo ir lá para cima, não para o nosso quarto, não para onde Hephzi estava segura. Talvez eu pudesse gritar, mas sabia que ninguém escutaria. As paredes eram grossas, pesadas e silenciosas.

Ele poderia estar bêbado, mas ainda era forte. Forte como um touro, ele me tratava como se eu fosse carne. A porta estava quase fechada quando ele me jogou contra ela e agarrou meu pescoço. A Mãe desaparecera e Hephzi fora dormir lá em cima de nossa cabeça, inconsciente.

Fechei os olhos e senti as lágrimas escorrerem, senti o peso dele contra minhas costas, a carne de sua mão enfiada na minha boca para que eu não pudesse chorar ou falar ou gritar. De qualquer forma, eu não teria tentado, eu não deixaria que ele soubesse a dor que sentia enquanto me golpeava e fazia minha cabeça girar e perder os sentidos. Os hematomas em minhas coxas permaneceram por semanas e doíam quando eu andava, mas mantive esse segredo escondido em algum lugar atrás da parede.

Quando o bebê de Hephzi chorava lá, o meu também chorava.

Depois disso, senti-me velha. Velha, fria e roubada. Eu não tinha ninguém para contar e não havia palavras para contar. Hephzi não descobriria o que eu enterrara; ela se escondeu do horror até que a caçaram.

E agora ele não vai me ferir mais.

Lentamente eu me recuperava. Archie dormia lá embaixo, no sofá, para que eu pudesse ficar em seu quarto. Eu não tinha sentimento de culpa, o sentimento fora drenado de fora de mim quando contei minha história a Danny; ele tomara tudo para si, em seus ombros, e agora, quando eu o via, ele parecia escuro e sombrio. Implorei para que ele não dissesse nada, que não soltasse nenhuma palavra para a polícia ou para algum amigo ou qualquer outra pessoa, e ele não podia perder minha confiança. Cheryl também tentou convencer-me a falar, mas pedi que me dessem um tempo, e eles, relutantes, concordaram. Danny me trouxe livros, pilhas deles, e os deixou sobre minha cama, onde ficaram me esperando para lê-los. Eu não tive vontade. Depois de todo aquele tempo ansiando por histórias, eu não conseguia começar uma única linha; a visão da pilha me deprimiu e me virei de novo para encarar a parede, fugindo do futuro.

O que eu fazia era me sentar ao computador de Archie.

Durante toda a noite eu digitava e digitava no teclado. Eu descobri tudo que nunca contaram para nós. Pela manhã, meus olhos doíam e Cheryl sacudia a cabeça enquanto trazia meu café da manhã.

— O que é que você andou fazendo, querida? Você parece exausta.

— Nada. Não dormi bem, só isso.

— Você tem de dormir um pouco agora. Querida, você precisa dormir para se recuperar. — Ela me deu um beijo na testa e depois saiu correndo para o trabalho. Então coloquei a bandeja no chão e entrei no desfiladeiro de sites, fóruns e blogues, lugares onde eu poderia fazer todas as perguntas para as quais nunca tivera respostas. Eu descobria tudo que nunca soubera sobre mim mesma. Vovó tentara explicar, mas eu nunca compreendera realmente. Havia pessoas como eu em todo o mundo. A vida delas não fora marcada; elas tinham casas, famílias, diplomas e empregos. Sim, as pessoas riram e tiraram sarro delas, mas elas sobreviveram. Eu chorava de alívio.

Eu descobrira o motivo por que eu tivera um bebê e Hephzi também. Claro que eu sabia que a "coisa suja" é que causava isso, mas não sabia nada do negócio com o óvulo e o espermatozoide e que era simples biologia, nem Deus nem o diabo tinham a ver com isso. Na verdade, era tudo normal, realmente normal e natural, e não um segredo doente. Fiquei triste por Hephzi e pelo que ela perdera. Mas quando ela esteve com Craig deve ter sido diferente para ela, ao menos era o que parecia. Eu esperava que tivesse sido melhor. Tentei escutar se ela tinha algo a dizer, mas ela não disse nada.

— Hephzi, você está aí?

Ela não respondeu, então olhei ao meu redor, procurando-a pelo quarto, esperando que estivesse escondida em algum lugar. Eu queria conversar.

— Por favor, Hephz, preciso de você. Por favor, apareça.

Geralmente, ela aparecia quando eu a chamava. Mas, agora, nada.

Se não estava ali, onde ela estaria?

Depois que os hematomas se desvaneceram, Archie vinha todos os dias para sentar-se na extremidade da cama e conversar.

— Tudo bem? — indagou, olhando para mim, esperançoso, ainda mais sardento do que eu me lembrava. Nem mesmo isso me fez sorrir. Desviei os olhos e me enfiei debaixo das cobertas, mas ele continuou se aproximando. Imaginei que Danny o fizera vir, como numa espécie de serviço comunitário, ou talvez ele pensasse que poderíamos ficar nos lamentando juntos. Eu disse a mim mesma para não ser amarga.

Após uma semana de silêncio, Archie pegou um dos livros, o que estava no topo da pilha, e começou a ler. Ouvi-lo gaguejar e tropeçar nas palavras foi muito doloroso, então me sentei, apesar de minha pouca vontade, e peguei o livro de suas mãos.

— Dê-me, vou fazer isso. — Ignorando seu rosto corado, li em voz alta até minha boca secar e minhas bochechas doerem, e ele ficou sentado, ouvindo com a cabeça apoiada nos punhos, rindo ou fazendo caretas, totalmente entretido com a história. Era uma boa história, *Frankenstein*; eu nunca lera antes, eu não chegara ao S, de Shelley, e, enquanto lia, perguntava-me se Archie percebia a ironia.

— O que você quer dizer?

— Ah, nada. Esqueça. — No entanto eu sentia pena da Criatura do livro.

Eles a chamavam de monstro também. Archie concordou que era triste ele nunca ter encontrado alguém que o amasse, então fingi estar cansada.

Um dia, Archie me disse que ainda estávamos em agosto. Puxou as cortinas e abriu as janelas, deixando-as escancaradas. Cheryl também fazia isso todas as manhãs, mas, assim que ela saía do quarto, eu fechava tudo, tapando a luz, mas naquele dia deixei tudo como Archie fizera. Por um momento, o sol me fez sentir bem.

— Você podia descer. O papai está fazendo um churrasco. Vamos.

Seus olhos pareciam tão brilhantes e esperançosos, esperança em mim e esperança de que seria o único a me atrair para fora do quarto escuro, para o dia de sol lá embaixo, por isso eu não pude recusar.

— Você pode me dar um minuto?

Cheryl comprara roupas para mim e as deixara em sacolas no chão. Ingrata, eu nunca nem esvaziara as sacolas. Só agora eu colocava a mão numa delas e tirava as roupas. Roupas novas. Algo que eu não via fazia mais de cinco anos, desde o nosso 12º aniversário, com Vovó, em nossa expedição de compras. Havia um vestido de um tecido enrugado com estampa de pequenas flores. Tinha tiras finas e pregas suaves um pouco acima de meus joelhos. Eu o segurei contra o pijama que estava vestindo havia semanas. Não tinha certeza se devia, mas arranquei as etiquetas e vesti as roupas de baixo e o vestido novos. Meus braços estavam nus, minhas pernas também. Isso nunca teria sido permitido antes, e eu me senti um pouco nua. Mexendo nas sacolas, encontrei um casaco curto, era cor-de-rosa e de mangas curtas. O espelho estava na sala. Eu teria de sair para ver. Se Hephzi estivesse aqui, ela diria como eu estava, seria honesta. Eu ainda precisava dela, mas ela não viria agora. Ela estava desaparecida desde o dia que escapei, e não importava quanto tentasse chamá-la de volta, nunca havia uma resposta.

Archie bateu à porta, fazendo-me saltar.

— Você está pronta?

— Ah, sim. Estou indo.

Ele me acompanhou até lá embaixo, segurando meu braço como se eu fosse uma inválida, percebi que talvez fosse desse jeito que ele me via, e, depois, me apresentou orgulhosamente para o restante da família, como se tivesse acabado de fazer uma feliz descoberta. Eu preferiria que fosse assim tão fácil, que um anjo tivesse movido uma pedra e eu tivesse, de fato, renascido e me refeito. Eu queria ser uma versão melhor de mim, uma com todas as feridas cicatrizadas. Mas isso não acontece na vida real. Na vida real não há ressurreição, ainda que você a deseje todas as noites.

Eu vi como todos exclamavam em volta de mim, todos, exceto Ben, que se levantou e me cobriu com um abraço enorme.

— Estou feliz que você não esteja morta agora! — comentou, e percebi que eu estava feliz também. Por um momento, ninguém riu, e em seguida me peguei rindo de mim mesma.

— Eu também, Ben. Obrigada. — O gelo fora quebrado, então Danny me ofereceu um cachorro-quente e Cheryl um copo de Coca-

-Cola; o gelo tilintava enquanto eu levantava meu copo para brindar com Ben, várias vezes até que Cheryl lhe disse para parar. Sentada em minha cadeira, ouvia a família em torno de mim, todos brilhando ao sol.

Fiquei lá por meia hora naquele dia, e foi o suficiente. Ao longo dos próximos dias e semanas, o tempo que passava fora de meu quarto foi aumentando gradualmente, e nos habituamos uns aos outros. Eles nunca me faziam sentir incômodo, e eu ajudava Cheryl na cozinha e na limpeza quando ela deixava.

Uma tarde, Cheryl me levou com ela a um supermercado para fazer uma compra bem grande.

— Você me ajuda a escolher, querida — disse ela. — Pegue os seus favoritos.

Eu não tinha favoritos, gostava do que ela fazia e disse isso a ela. Mas, ainda assim, ela me incentivou a escolher o que eu queria e tentou bater papo e fofocar, enquanto caminhávamos pelos corredores. Ela pensou que, se me mantivesse ocupada, eu não notaria as pessoas me olhando. A loja era enorme, como a barriga de uma grande baleia, e eu tinha certeza de que nunca mais iríamos sair de lá. As fileiras e mais fileiras de comida e roupas e xampus e televisores e eletrodomésticos e bebida me deixaram tonta. Nós só comprávamos na loja local; aquela era a primeira vez que eu ia a uma loja desde nosso 12º aniversário.

Finalmente conseguindo pensar em alguma coisa para pedir, disse a Cheryl que eu gostaria de sorvete para a sobremesa, e ela saiu em disparada para encontrar. Fiquei para trás, olhando em volta. Uma voz rompeu o meu devaneio.

— Rebecca?!

Reconheci a voz imediatamente. E não quis que ela parasse e falasse comigo.

— Rebecca, querida?

Ela pôs a mão no meu braço, então parei e esperei.

— Como você está? Seus pais me disseram que você saiu de casa. Então, onde você está vivendo agora? — Sua voz era pesada, preocupada, quase abafada por sua tensão.

— Estou bem, Sra. Sparks, obrigada. Como a senhora está?

— Eu estou bem. Obrigada por perguntar.

— Bem, melhor eu ir agora.

— Ah, é claro, querida, mas, você sabe, você deveria ir e tentar fazer as pazes com seus pais. Espero que você não se chateie comigo por dizer isso, mas, você sabe, eles estão arrasados. Estamos todos rezando por você.

Eu quase gritei, mas logo me lembrei de onde estava. *Você ouviu isso, Hephzi?* Eu a chamei, mas ela não deu nenhuma resposta. Em seguida, Cheryl passou zunindo, acenando com a lista para mim, dizendo que deveríamos nos apressar. A Sra. Sparks a olhou desconfiada.

As duas esperavam para serem apresentadas.

— Cheryl, esta é a Sra. Sparks. Ela vive no meu bairro. Ela auxilia na igreja.

— Sacristã, na verdade, eu conheço as meninas, quero dizer Rebecca, desde pequena.

— Ah, é, você as conhecia? — A voz de Cheryl se tornara áspera. Então agarrei a alça do carrinho e comecei a puxá-lo em direção às caixas registradoras.

— Eu conheço você, tenho certeza — a Sra. Sparks falou, logo atrás de nós. — Você não é a esposa do rapaz que trabalha na Casa de Repouso?

— Não responda a ela, Cheryl, ela é uma intrometida, ela vai contar tudo a eles.

— Eu quero dar uma boa resposta — murmurou Cheryl. Ela colocava as compras nas finas sacolas plásticas e apressadamente digitou a senha do cartão e corri atrás dela de volta para o carro. No caminho para casa, ela quebrou o silêncio.

— O que eu não entendo é como todas essas pessoas se mantiveram afastadas esse tempo todo vendo vocês serem tão maltratadas. Não consigo entender. Não consigo.

Ela queria que eu explicasse. Eu brincava com meu cinto de segurança.

— Quero dizer, isso não está certo, você não pode deixar esse tipo de coisa continuar acontecendo debaixo do seu nariz e não fazer nada. É um absurdo, isso sim.

Pensei no que ela estava dizendo.

— A Sra. Sparks tentava nos ajudar. Mais ou menos. Ela nos dava algumas coisas, como comida, roupas. Ela tentou ajudar.

— Que nada! Ela não fez o suficiente. Você merecia mais do que isso.

Cheryl ainda não entendera quão esperto o Pai era e como ele era bom em usar sua máscara, quão bem ele manteve a Sra. Sparks envolta em sua falsidade e sua bajulação.

— E quanto a sua tia e seu tio, bem, eles são ainda piores. Sua própria carne e sangue deixando você com pessoas com as quais eu não deixaria nem a minha gata, imagine duas crianças indefesas!

Cheryl esperava havia muito tempo para externar isso. Deixei-a falar enquanto voltávamos para casa. Nada do que ela disse foi surpresa para mim, pois eu tivera anos e anos para pensar as mesmas coisas.

— Tia Melissa se mudou para a Escócia. Ela realmente não podia nos visitar.

— Não é um bom motivo.

— As pessoas não se preocupam, eles querem uma vida sossegada.

— Bem, eles deveriam ter vergonha de si mesmos.

Talvez sim. A raiva exigira muita energia de mim, e eu precisava de todas as forças que me restavam para enfrentar o resto da minha vida.

Vivendo com Danny e sua família, eu estava mais feliz do que jamais fora. Contudo, eu sabia que não poderia dormir no quarto de

Archie para sempre, não era justo. Sentei-me na cama e tentei pensar numa alternativa para a situação, mas eu não tinha ideias brilhantes. Eu realmente poderia ter pensado em alguma coisa se tivesse minha irmã por perto, ela sabia mais sobre ser normal do que eu. Sua proposta teria sido arranjar um namorado, entretanto, para mim não era uma opção. Eu encontrara uma família, mas eles não eram realmente minha família e não havia espaço suficiente para mim. Mesmo que eu ajudasse, passando o aspirador e fazendo o jantar, sabia que não era uma grande contribuição e que eu não deveria me demorar mais tempo lá. Era hora de ir novamente.

Então, no fim do mês, recebi um telefonema. Eu estava brincando com Ben e nem pensava em nada disso até Cheryl me chamar e dizer que era para mim. Eu não gostei da expressão no rosto dela quando peguei o fone de sua mão e rumei para a cozinha, resmungando baixinho. Segurando o telefone como quem manejava uma arma, sussurrei um alô. A princípio, não reconheci a voz no outro lado da linha.

— Alô? — consegui falar novamente.

— Rebecca. É sua Tia Melissa.

Houve uma longa pausa enquanto eu processava as informações. Eu podia ouvir sua respiração, muito rápida.

— Você ainda está aí?

Balancei a cabeça afirmativamente, mas é claro que ela não podia ouvir isso. Minha boca estava muito seca para falar.

— Bem, Rebecca, se você estiver ouvindo, quero que você saiba que eu fiquei sabendo o que aconteceu com você, que você saiu de casa e, se quiser, bem, você é bem-vinda a qualquer hora.

Ela esperou por uma resposta minha. Parte de mim queria falar para ela que era tarde demais para ajudar, pois Hephzi já estava morta e eu conseguira escapar sem a ajuda de ninguém.

— Eu sinto muito por tudo isso. Eu deveria ter feito algo antes. — Sua voz tornou-se agitada. — Ela nunca devia ter se casado com ele, eu disse a ela naquela ocasião, mas ela estava desesperada, você sabe.

— O que você quer dizer? — interrompi-a.

— Sua mãe. Bem, agora é passado, mas tenho certeza de que é tudo culpa dele, de Roderick.

— Não. Nem tudo.

— Sim, bem... Enfim, se você me avisar, vou para aí a qualquer hora. Só nos avise. É apenas uma viagem. — Ela riu nervosamente.

— Como você conseguiu este número?

— A senhora Sparks. Aquela mulher da igreja, sabe? Ela me telefonou e me contou o que aconteceu e onde você estava. Eu deixei meu número com ela quando nós estivemos por aí para o... você sabe... o funeral de sua irmã.

Pensei sobre isso e perguntei o que fora dito. Se a Sra. Sparks dissera a ela onde eu estava, então talvez tivesse falado para os Pais também, talvez eles pudessem vir me procurar na calada da noite, me colocar num saco e me levar embora.

— Eu não quero ver você.

— Tudo bem, é justo. Mas gostaria de uma chance de falar com você, para explicar algumas coisas.

— OK — sussurrei finalmente. — Ligo uma hora dessas.

Hesitante, ela passou seu número de telefone e eu o rabisquei num papel que enfiei no bolso. Refleti sobre a ligação durante todo o dia e sobre o que ela dissera dos Pais, decifrando suas pistas enigmáticas, preenchendo as palavras, completando o quebra-cabeça. Mas eu não podia chegar lá sozinha, ainda havia muitas lacunas a serem preenchidas.

Eu sabia que tinha de deixar a casa de Danny e Cheryl, eu não era responsabilidade deles, e a casa não fora feita para tantas pessoas, o que estava começando a ficar notório pelo olhar de Cheryl, o qual Danny parecia não notar. Mas eu não sabia como sair ou para onde ir. Viver com Tia Melissa estava fora de cogitação. Ela nos deixou para apodrecer, além disso os Pais podiam aparecer. Eu não podia contar com Tia Melissa e Tio Simon para me apoiar e me manter a salvo deles.

Voltei para o quarto de Archie e fiquei lá o resto do dia. No meio da noite, arrumei minhas coisas. Só depois disso dormi.

De manhã, quando a família desceu para o café da manhã, eu já estava pronta para partir, embora ainda não tivesse ideia de para onde iria. Cheryl olhou para mim enquanto descia a escada, ainda com os olhos sonolentos e vestida num roupão.

— Está tudo bem, querida? O que você está fazendo acordada e vestida a essa hora da manhã?

Eu me senti horrível ao anunciar:

— Estou indo embora hoje, Cheryl. Apenas estava esperando para... Quero dizer, queria dizer adeus e obrigada.

— Você o quê? Você não pode simplesmente ir embora assim. Não seja tão tola, venha e tome seu café da manhã.

— Não, é sério, é hora de ir. Você tem sido muito amável. — Cada palavra me machucava, minha garganta doía com o esforço que fazia para não chorar. Eu queria que ela não fosse tão legal, assim tudo seria mais fácil. Ben e Archie e as outras crianças estavam descendo, e eu queria sair de lá antes que tivesse de enfrentá-los também.

— Obrigada novamente, Cheryl. Eu vou manter contato, OK?

Puxei a porta para abri-la e corri em direção ao sol da manhã. Apertando os olhos como quem encara o brilho de um refletor, corri pelo caminho, segurando a mochila com minhas coisas. Eu não pegara tudo o que Cheryl comprara para mim, apenas o necessário.

Era estúpido de minha parte ir embora sem ter um bom plano, mas o sentimento de que eu era um fardo na vida daquelas pessoas amáveis se tornara pior que a perspectiva de encontrar um novo lugar para ficar. Eu só sabia que precisava encontrar minha irmã e caminhei rapidamente pela calçada para fora da casa deles, em direção à estrada principal. A partir dali, poderia pegar um ônibus de volta para o meu bairro. Eu me perguntei se Hephzi se mantivera longe simplesmente porque não conseguira me encontrar. Estava assombrada pelo pensamento de que ela, de alguma forma, fora deixada para trás e estava presa em nosso quarto na casa paroquial, arranhando a janela para ser solta. Se eu quisesse vê-la, então teria de ir atrás dela. Aquela era a única direção que eu conhecia, e comecei a caminhada com o sol batendo em meus ombros e em minha cabeça; ficaria mais quente mais tarde. Os campos à minha volta, dos dois lados, estavam repletos de plantações de colza, e meus olhos começaram a coçar e o nariz a escorrer; o pólen era um tormento que fazia coçar o fundo de minha garganta. Os campos amarelo-claros refletiam o brilho crescente do dia, o qual eu observava enquanto caminhava com os olhos fixos no chão à minha frente. Por um momento, perguntei-me o que aconteceria se o Pai passasse, me visse e parasse. Ele poderia facilmente me colocar na parte traseira de seu carro e me levar de volta a seu covil. O pensamento tomou conta de mim por um tempo, e quase me virei e corri de volta para a segurança da casa de Danny. Isso era uma loucura. Mas algo me forçava a seguir em frente, e eu sabia que era Hephzi. Eu tinha de voltar para ela.

O sol começou a me queimar, mas continuei até que finalmente avistei a placa de boas-vindas aos visitantes de nosso bairro. Sedenta, lambi os lábios secos, tentando não pensar em água. Então, ocorreu-me uma ideia, que veio ágil e de uma vez só, como uma chuva repentina. Apertei o passo e me movi cada vez mais rápido. A casa de Craig era mais próxima de onde eu estava que a casa paroquial, ficava à direita, no fim da rua. Fazia sentido passar por lá; se Hephzi não estava na casa paroquial, então era lá que com certeza ela estaria.

As ruas estavam silenciosas, algumas mães passaram por mim com seus carrinhos em direção ao parque para jogarem migalhas aos patos e empurrarem suas crianças nos balanços. Uma garotinha de patinete, com suas tranças voando, zuniu por mim enquanto sua mãe corria atrás dela. Olhei adolescentes darem voltas no parque em suas bicicletas e um pequeno grupo de crianças, aproveitando os últimos dias preguiçosos do verão, caminhando em direção à piscina pública, suas toalhas debaixo do braço e garrafas de Coca-Cola balançando entre seus dedos. Hephzi e eu nunca tivemos permissão para ir, é claro. Continuei a avançar. Ninguém me notou.

Foi fácil encontrar a casa de Craig, Hephzi me levara lá diversas vezes nos últimos meses. Eu lhe pedira para que parasse de me fazer agir como uma perseguidora, mas ela não se importou e me disse para não ser tão egoísta. Eu cedia, como sempre. Agora eu estava na porta da frente não fazendo nada, esperando que ela aparecesse e me desse algumas instruções, como uma diretora de cinema extraindo o melhor desempenho de uma estrela difícil. Entristeci-me. Nada além do esvanecido perfume das rosas do vaso junto à porta pairava no ar. Sem Hephzi. Era inútil. Virei-me e voltei pelo pequeno caminho de concreto cercado de grama verde. A motocicleta do Craig estava na rua em frente à casa, e eu parei novamente. Era estúpido vir até aqui e nem verificar se eles estavam lá dentro, ela poderia estar se escondendo, brava comigo por deixá-la, isso seria o tipo de coisa que ela faria.

Antes que eu mudasse de ideia, virei-me mais uma vez e fui até a porta, apertei a campainha com força e esperei, ouvindo o som da minha respiração. Ninguém atendeu. Eles poderiam estar nos fundos. Eu não queria abrir o portão e dar a volta na casa como eu fizera por toda a minha vida, nem queria tocar a campainha novamente, mas o fiz, segurando o botão por mais tempo dessa vez, até ouvir o barulho ressoar por toda a casa. No andar de cima, em algum lugar, houve movimento; eu senti e ouvi uma porta bater e o peso dos passos na escada, e eis que Craig surge à porta, de cueca samba-canção, recém-

-desperto, espiando pela fresta entre a porta e a parede, não me reconhecendo, ainda parcialmente cego pelo véu do sono.

— Oi?

Eu tossi, minha garganta ainda coçava por causa do pólen, e esfreguei o dorso de minha mão contra o nariz. Esperei que ele me notasse. Com a mão ele puxou para trás o cabelo que lhe caía nos olhos, eu nunca o vira sem seu boné ridículo, e ele tinha um cabelo bonito, supus, para ele. Ele abriu um pouco mais os olhos e se deu conta de que era eu.

— O que você quer? — Sua voz estava repentinamente brava e alta. Dei um passo para trás, surpresa com seu tom. Tive de reunir toda a minha coragem para falar.

— Posso entrar?

— Por quê?

Essa era uma pergunta complicada. Eu teria de mentir.

— Quero conversar com você.

Esperei enquanto ele pensava a respeito. Eu podia ouvir o tráfego de ruas distantes, o zunido das abelhas entre as flores, um bebê chorando em algum lugar da rua. Eu esperei sem olhar para ele, fitando apenas o batente de plástico branco da porta e o degrau de concreto. Finalmente, ele abriu a porta, e eu o segui até a sala. Ele não parecia importar-se por estar apenas de cueca, ele apenas permaneceu ali como se tudo fosse normal. Fixei meus olhos na janela atrás dele e tentei sentir se Hephzi estava se escondendo em algum lugar.

— Sim? E o que é então? Pensei que eles tinham se livrado de você, isso é o que eles andam falando.

— Quem?

Ele não me deu uma resposta e eu tentei imaginar a máquina de fofocas do bairro funcionando, a Sra. Sparks puxando uma alavanca, ligando o motor e então enviando lotes de informações, verdadeiras ou falsas (quem se importa?), através de caixas de correios e janelas, por cima de cercas de jardim, nos correios e na loja da esquina.

Eles teriam se divertido com a história da filha louca do pastor. Caminhando enlouquecida pelas ruas do bairro vestida apenas com sua camisola, fazendo barulho e sendo levada para um hospício para seu próprio bem. Ou talvez o Pai teria ressaltado em sua mais recente pregação os perigos do diabo e a sua própria filha marcada com o sinal, que seria finalmente e abençoadamente encarcerada. Agora sua congregação poderia dormir tranquila sabendo que a besta estava engaiolada. Ouço suas palavras sendo cuspidas de sua mandíbula de arame farpado, sinto o laço com o qual ele me segurou e me torceu por toda a minha vida, como se ele estivesse logo atrás de mim, rosnando em meu ouvido. Craig quebrou seu feitiço.

— O que você quer então? Vai ficar aí parada o dia todo?

— Água, eu queria um pouco de água.

Ele me olhou como se eu tivesse acabado de pedir as joias da coroa ou 1 milhão de libras e, enquanto ele desaparecia em direção à cozinha, eu mandava mensagens para Hephzi. Gritava pedindo que ela saísse de onde quer que estivesse se escondendo. Nada. Ele me entregou a água e a bebi de uma só vez sob seu olhar.

— Você está com fome?

Assenti. Eu saíra sem tomar o café da manhã.

Dessa vez, eu o segui até a cozinha e o observei enquanto procurava por cereais, tigelas e leite. Sentamos à mesa juntos e comemos. Ele mastigava e tomava o leite ruidosamente, aproveitando sua comida, servindo-se de mais como se eu não estivesse ali.

Ao terminar, ele se lembrou de mim e me encarou enquanto eu raspava os últimos cereais do fundo da tigela.

— Você não se parece nem um pouco com ela, sabia?

Eu ri. Ele realmente pensou que nunca tivesse me dado conta? Ele corou e tentou se defender.

— Vocês são gêmeas e tudo mais. Vocês deveriam se parecer um pouco.

— Não necessariamente. Não somos idênticas. — Minha voz soava irônica, e ele sorriu e jogou um pouco de seu famoso charme. Endureci, determinada a não fraquejar. Se não fosse por dele, Hephzi não estaria morta. Antes que eu pudesse me censurar, minha boca disparou esses pensamentos, palavras que eu nunca pensaria em pronunciar e, imediatamente, ele estava vermelho, queimando como fogo, e uma tempestade de faíscas veio estourando em minha direção.

— Por que você está dizendo isso? Isso são mentiras, besteiras! Eu não fiz nada, nada. Eu a amava. Eu a amo.

Igualmente brava, respondi:

— Você a engravidou, seu porco estúpido. Você colocou o seu bebê dentro dela, e ela não se deu conta! Ela não era como as outras meninas, ela era inocente, e você se aproveitou disso. Você a destruiu.

— Não. Isso é mentira, papo furado. Cale a boca!

Nós dois estávamos de pé, e ele me segurou pelos ombros e começou a me balançar, sua ira pulsava em ondas de pânico. Ele não era tão forte quanto o Pai, seus dedos não mordiam minha carne plantando sementes de morte, e eu não estava com medo. Eu o empurrei para trás, e ele me soltou.

— Por favor, diga que está mentindo. Diga que não é verdade.

— É verdade. A princípio, não vim aqui para lhe dizer isso e sinto muito por fazê-lo. Estou indo agora. — Eu não queria vê-lo chorar, eu não precisava ver sua dor se derramando no chão da cozinha e ser obrigada a limpá-la. Eu não aguentava mais isso.

Ele me segurou. Estava desesperado para manter-me ali e descobrir o que achava que eu sabia.

— Conte tudo. Por favor, eu quero saber como ela morreu. Você tem de me contar, ela me amava.

Dei de ombros.

— Aposto que você já tem outra namorada. Você não a amava, você apenas a usou. Você deveria ter pensado melhor.

Ele balançou a cabeça vigorosamente.

— Você não entendeu, não nos entendeu. Ela deve ter lhe dito, ela deve ter falado.

— Se a sua mãe estúpida não tivesse ido à igreja e não tivesse interferido daquele jeito, talvez Hephzi estivesse bem. Ela teria sobrevivido e teria tido seu filho. Suponho que a essa altura ele já teria nascido.

Ele estremeceu, e eu pude ver que ele temia o que eu estava dizendo. Eu descobrira tudo sobre bebês no computador no quarto de Archie, todos os fatos, detalhes e informações, e eu disparava tudo como balas na direção de Craig. Era a minha vez de machucar, e eu o bombardeava, meu alvo exposto, paralisado pela força de meu disparo.

— Por que ela não me contou?

— Ela não sabia! Eu lhe disse, ela não era como as outras.

— Eu teria tomado conta dela e do bebê. Eu teria feito qualquer coisa.

— Tarde demais. Você estragou tudo. Você devia ter ficado longe da minha irmã. Ela era muito boa para você.

— Eu sei. Eu sei. Sinto muito.

Choramingando como uma criança, ele desabou no chão, suas costas contra os armários da cozinha, esparramando-se na poça de sua própria miséria. Era o que ele merecia. Suspirei e com esse sopro afastei meio ano de dor. Eu vi aquilo me deixar, pairar no ar, partículas de escuridão escapando de meu corpo. Mais solta e leve me virei, pronta para partir.

— Você não deveria ser tão cretina. Sua irmã nunca me disse que você era uma cretina.

Eu parei. Hephzi falara de mim para ele. Isso significava que ele tinha coisas que eu queria, palavras que por direito eram minhas. Direcionei meu olhar a ele, as lágrimas ainda escorrendo por suas bochechas. Suponho que a tristeza dele deveria ter me comovido.

— Ela era a minha irmã. Ela me amava.

— Ela me amava também.

Ele estava certo. Ela o amava, mas apenas porque não o conhecia melhor e porque não tivera escolha.

— Você deveria tê-la ajudado, assim você a teria merecido. Mas você não fez isso, fez? Você destruiu as chances dela. Ela achava que podia confiar em você, Craig, mas você não se manteve à altura, você agiu feito uma criancinha.

Finalmente de pé, ele me olhou nos olhos. Eu lhe revelei todo meu rosto, eu estava cansada de me esconder. Ele parou de se lamuriar e assentiu.

— Está certo, então. Se você estiver certa, deixe-me ajudá-la.

— O quê?

— Você diz que tudo é culpa minha e que eu deveria ter feito algo, salvado a Hephzi, mudado o curso dessa história. Eu não sei se teria conseguido fazer isso, se tivesse algo a mais... — Os olhos dele se perderam por um momento. — E agora que ela se foi, eu darei o meu melhor ao próximo. Eu vou ajudar você.

— Não, você não vai.

— Mas você precisa de ajuda, não precisa?

Como ele sabia? Eu não aguentava mais ser tão transparente.

— Eu estou bem.

— Não, você não está. Senão você não estaria aqui. Você me odeia, devia estar desesperada para ter vindo até aqui.

Hephzi sempre me dissera que ele era esperto, e agora eu entendia. Ele não era apenas o idiota de boné e malcomportado com um cigarro na boca. Incomodada, franzi o cenho e quis partir, mas ainda precisava saber o que ela falara de mim.

— O que mais ela lhe contou?

— Não muito. Ela era reservada. Eu perguntava, mas raramente conseguia alguma resposta. Eu queria que ela me apresentasse a você; a você e a sua família. Ela disse que não havia chance de isso acontecer.

É claro que ela disse isso.

— Mas ela disse mais alguma coisa?

— Sim, de vez em quando ela deixava escapar algumas coisas. Ela me disse que você a encobria.

Eu assenti, e meu rosto ficou ainda mais severo. Ele meneou a cabeça em resposta.

— Obrigado.

— Eu não deveria. Eu não deveria tê-la deixado fazer isso tudo.

— Como você a teria impedido?

Ele estava certo novamente.

— Bem, você pode me contar tudo. Eu reconheço que deduzi muita coisa, mas ainda existem algumas lacunas. Eu quero saber exatamente o que aconteceu.

Impossível. Craig não conheceria toda nossa história, já era ruim o bastante contar para Danny e Cheryl, ruim o bastante eles me atormentarem para procurar a polícia e a assistência social. Eu estava convencida de que essa história seria enterrada comigo, eu a guardaria, pois quase matara Danny. Como não falei mais nada, ele perguntou novamente.

— Por que você não quer me contar? Por que vocês duas são tão reservadas? Agora que você está aqui de frente para mim posso dizer que vocês duas são gêmeas, vocês têm o mesmo olhar, o mesmo jeito de mexer a cabeça quando alguém faz uma pergunta delicada. — Espirrei, e ele riu amargamente: — Até o espirro é igual.

Eu queria que ele se calasse. A maneira como ele falava me dava vontade de puxar uma cadeira, sentar e fazê-lo contar histórias sobre minha irmã. Eu queria que ele me contasse sobre a vida que ela teve com ele, o mundo secreto que ela trancava a sete chaves, um jardim encantado de bons momentos, risadas e esperanças. Nós dois sabíamos que tínhamos exatamente o que o outro queria, mas eu não sabia se ousaria realizar essa troca. Encarei-o novamente.

— Se eu contar o que você quer saber, então você vai ter de responder a minhas perguntas, todas elas. OK?

Ele parou e pensou por um momento, estudando-me atentamente. Eu não entendi por que ele não hesitou e se afastou, por que ele não parecia se incomodar com minha aparência. Isso era algo que eu poderia lhe perguntar. Ele finalmente falou.

— OK. Fechado. Você conta tudo, e eu faço o mesmo.

— Certo, mas tem mais uma coisa.

— Ah, é? O quê?

— Nada do que você ouvir sairá desta sala. Você tem de me prometer que não fará nada com as informações que eu revelar a você e manterá tudo em segredo.

— Não. — Ele balançou a cabeça rapidamente. — Não mesmo. Estou cansado dos segredos e de me esgueirar por aí. Não quero mais saber disso. Eu virei essa página.

— O que você quer dizer com isso?

— Vou começar a escola em setembro, aquela na cidade. Vou passar no resto dos exames em mais um ano e recuperar tudo que perdi. Então vou para a faculdade. Vou trabalhar para me sustentar e vou conseguir. A vida é muito curta para a gente não se esforçar ao máximo. Hephzi sabia disso.

— Ela podia saber, mas não pode fazer mais nada disso — soltei.

— Não, mas foi isso que ela me ensinou, a me lançar, a esperar pelo melhor e lutar pelo que eu quero. Esse é o meu plano e vou seguir com ele.

— Que bom para você. — Não sei por que eu soava tão ressentida. Talvez eu quisesse que ele fosse o Craig mau para sempre, talvez eu estivesse brava por ter sido necessário minha irmã morrer para ele finalmente crescer.

— Sim, sei que agora é tarde, Rebecca, mas eu tenho de tentar, senão ficarei louco. Após a morte dela eu pensei que estava... sabe...

ficando louco. Foi difícil. Mas a minha mãe me ajudou a superar, e eu devo muito a ela por isso também. Desde que meu pai partiu, ela sempre esteve ao meu lado, cuidando de mim, confiando em mim. Eu lhe devo muito mesmo.

— Sua mãe gostava da Hephzi?

— É claro que gostava! Quem não gostava? Hephzi era... gloriosa, era gloriosamente adorável, engraçada e esperta.

Suas palavras me tocaram. Eu não esperava que ele fosse usar palavras como essas ou que ele entendesse a essência de minha irmã tão bem.

Ele continuou, estava empolgado:

— Ela pensava que Hephzi era perfeita para mim, achava que ela poderia me endireitar. Talvez tenha feito isso no fim das contas. Mas acho que eu fui uma má influência por um tempo. Arrependo-me agora, não devíamos ter matado aula como fizemos, eu não devia ter feito isso.

— Não, você não devia ter feito isso. Por que você simplesmente não foi um namorado normal?

— Como eles são?

— Como eu saberia? — Dei de ombros e ele abriu um meio sorriso.

— Você está certa, eu deveria ter feito mais, ela merecia o melhor.

— Conte-me o que vocês dois fizeram juntos.

— OK. — Ele caminhou até a porta do fundo e entrou no pequeno jardim quadrado. Eu o segui, e ele se jogou sobre um pedaço de grama sombreado. Então, ele começou a falar e não parou. Por toda a tarde ficamos sentados, e ele falou sobre minha irmã, e eu bebia de suas palavras, pegava o mel que pingava de seus lábios e o levava à minha boca, saboreando o doce calor que acalmou meu coração, que queimava. Ele me levou com eles para o passeio de moto através dos campos, aos vilarejos à beira-mar e às cidades iluminadas. Ele me fez ver o mundo por cima de seu ombro, como Hephzi vira quando segurava a cintura de Craig enquanto ele acelerava sua moto. Os olhos dela reluziam com as estrelas de seu futuro. Quando ele me levou por todos os momentos, mostrou-me todos os segredos dela, segurou a mágoa de Hephzi para deixar-me ver, deu-me a alegria dela e seu sorriso, sentei-me exposta ao sol da tarde em seu jardim, onde eles se beijaram pela primeira vez. Senti a grama sob meus dedos e esperava que ela o estivesse ouvindo também, que ela pudesse ver o que quisesse.

— Obrigada — murmurei, arrancando as pétalas de uma margarida. — Desculpe por ter sido tão dura. Desculpe por não ter ajudado mais. Ela nunca me disse tudo isso. Você era o segredo dela. Você era sagrado, precioso. Ela realmente o amava.

— Espero que sim. Cara, estou despedaçado. Foi um dia e tanto. Você quer uma bebida?

Ele correu para dentro e voltou com duas garrafas de cerveja gelada. Prendi o líquido em minha boca aproveitando cada bolha e saboreando seu frescor. Ele ergueu uma sobrancelha.

— Hephzi não bebia, ela passava mal.

— Ah! — Coloquei a garrafa na grama, ao meu lado, e estremeci um pouco à medida que o sol desaparecia atrás das grandes árvores no horizonte. Quais seriam as outras coisas que eu nunca saberia sobre minha irmã? Craig me dera tudo que tinha, mas sempre haveria muita coisa a ser dita. Isso me deixava triste. Craig tocou meu braço e me ajudou a levantar, conduzindo-me para dentro pela mão. Ele era gentil, gentil e bom, e eu estivera errada.

Ele saiu e comprou peixe com fritas. Comemos vorazmente em silêncio, e ele raspou nossos pratos, terminando o que eu não conseguira comer. A intimidade desse gesto me fez corar, e disse a mim mesma para não ser tonta, não me deixar enganar. Ele nunca gostaria de mim como gostara dela, eu nunca tomaria o lugar dela, e eu não queria, não seria certo. Entretanto, sentar com ele e comer juntos, à vontade um com o outro, me deixou-me feliz demais para perceber isso. Talvez fosse apenas a ideia de que encontrara um amigo, mais um.

— Quando sua mãe volta? — perguntei.

— Ela não volta, está num curso.

— Ah...

— Você pode passar a noite aqui se quiser. — Ele olhou o meu rosto e se apressou em esclarecer: — No quarto de hóspedes. Está tudo certo, você pode confiar em mim.

Eu ri da ideia absurda de que alguém como ele pudesse algum dia querer ficar com alguém como eu.

— Do que você está rindo? — Ele parecia irritado.

— De você se justificando demais. Acho difícil você querer me estuprar, não? Suponho que eu não seja o seu tipo.

— Isso não é engraçado, sabe. Você não devia fazer esse tipo de piada.

O sorriso desbotou de meu rosto.

— Você está certo. É doentio. — Fiz uma pausa e me deixei dizer: — Eu sou estranha, todos sabemos disso, mas não me culpe, ter ficado presa a maior parte de minha vida me deixou assim.

Ele me observava e sentimos o peso dessas palavras entre nós. Agora elas pairavam sobre nós.

Craig hesitou, inseguro antes de perguntar:

— O que você quer dizer com presa?

Respirei profundamente. Eu teria de explicar tudo de novo. Tinha de satisfazer a curiosidade dele a partir do zero. Era por isso que eu fora até lá, não era? Para encontrar Craig e encontrar a irmã que eu perdera para ele, e agora eu tinha de fazer essa troca. Entregar meus segredos a ele.

— Não é óbvio? Hephzi e eu não tivemos vida até setembro do ano passado, quando entramos na escola. Como nós conseguimos ir à escola é uma coisa que ainda me deixa intrigada. Vamos apenas dizer que os Pa... quero dizer, nossos pais achavam que não precisávamos do mundo exterior.

— Eu sabia que eles eram superprotetores. — Ele tinha um tom cauteloso, tateando o caminho que o levaria a esse novo território.

— Esse é o eufemismo do século! Se meu pai e minha mãe tivessem seguido o método deles, nós nunca teríamos deixado a casa paroquial.

— Entendi. O que mais?

— Ah. Tem certeza de que está pronto para isso?

— Totalmente!

Em seguida, contei para Craig minha história, e ele ouviu com a mesma atenção de antes e os únicos movimentos que revelavam sua tensão era a batida de sua perna e pé, rápido como uma tarantela, parando e voltando, e se contorcendo e batendo no chão. Eu iria deixá-lo saber tudo. Os anos e anos de palavras e punhos, a cinta, o silêncio, o medo, as punições e os crimes e, por fim, as últimas e difíceis horas de vida de Hephzi. Ele ficou perdido, totalmente perdido, e quando voou para fora da sala, eu estava lenta demais para detê-lo e estúpida demais para lembrar-me de que ele não prometera não contar. Corri atrás dele no caminho para fora da casa e me joguei sobre sua moto, logo atrás dele. Ele não parou e me empurrou para fora, acelerou o motor tão alto e forte que quase caí, sentindo as ondas da poderosa máquina pulsarem pelo meu corpo, e tive de me segurar nele com tanta força quanto seguraria minha vida se alguém estivesse tentando tirá-la de mim, tão forte quanto eu deveria ter segurado Hephzi.

Era óbvio para onde estávamos indo e, ao estacionarmos a moto do lado de fora da casa paroquial, não senti nenhuma surpresa, apenas um entorpecimento tão terrível que se estendia do couro cabeludo até os pés, preparando-me para o que eu esperava ser a última batalha.

Craig me encarou, seus olhos brilhantes e fervorosos na escuridão do fim do verão.

— A árvore? — questionou.

— Não. — Eu o fiz me seguir até a porta da frente. Ela estava trancada, então me inclinei sobre a velha campainha que permanecia orgulhosa à entrada da casa. Ela ressoou forte o bastante para ser ouvida, mas ninguém apareceu para nos deixar entrar. O lugar inteiro estava imerso na escuridão, fechado e cansado, adormecido pela noite. Não havia medo segurando meu braço, tentando arrastar-me para a segurança. Silenciosa e livremente, caminhei rápido em volta da casa em direção aos fundos. Craig me seguiu, movendo-se raivosamente; ele borbulhava de ira e precisava infligir dor. Eu parei e segurei o braço dele.

— Deixe eu fazer isso, OK? Não vale a pena arruinar sua vida com isso.

— Eu quero matá-los — rosnou entredentes. Meneei a cabeça, compreendendo.

— Você não pode. Se fizer isso, acabará na prisão e será quem mais sofrerá. Você não deve desperdiçar seu ódio com ele e não deve tocar em nenhum dos dois. Promete?

Ele balançou a cabeça e olhou como se pudesse entrar no meio dos jardins da igreja como uma ferida parcialmente cicatrizada. Sua dor era voraz e crua.

— Pense no seu futuro, aquele de que você me falou. Não jogue tudo fora, Craig, por favor.

Finalmente ele pareceu calmo o bastante para continuar e seguimos em direção aos fundos da casa. O perfume das rosas de verão e das madressilvas que cresciam às margens do jardim inundavam meus sentidos, e eu tentava não pensar em Hephzi e em mim quando nos inclinávamos sobre nossa janela, duas menininhas com muito calor para dormir, ansiosas pelo verão e tentando alcançar o ar. Era esse ar que cheirávamos juntas e que respirávamos profundamente na esperança de guardar um pouco para mais tarde, algo que deve permanecer nos cantos de minha memória para adoçar minha tristeza.

A porta de trás estava igualmente fechada e Craig bateu nela, xingando como um louco enquanto eu tentava calá-lo e decidir qual seria o próximo passo. Eu estava surpresa por ninguém ter aparecido para investigar o barulhão que fazíamos; não era tão tarde, afinal, os Pais não estariam na cama àquela hora. Ele provavelmente estaria bebendo, e ela estaria procurando por alguma tarefa inútil numa tentativa de esfregar a mancha indelével de suas existências. Craig forçou novamente a porta, e ela acabou cedendo, a velha madeira se curvou para dentro como um homem velho aceitando a derrota. Lá dentro, o ar estava frio e úmido, e senti o cheiro de mofo de minha infância. O odor perfurou as paredes de controle que eu cuidadosamente construíra e cobri meu rosto com as mãos.

— Está tudo bem, Reb, está tudo bem. — Por um momento, pensei que fosse Hephzi falando, ela era a única que me chamava assim, o apelido de infância que ela usava desde que começamos a falar. Porém, era Craig quem me segurava forte pela mão e me levava pela cozinha, caçando qualquer coisa que ele pudesse usar.

Nós dois saltamos quando ela apareceu das sombras envolta no mesmo velho roupão de sempre, amarrado firmemente em volta de sua esquelética silhueta.

— Quem está aí? — murmurou a Mãe na escuridão ecoante do corredor. — O que você quer? Saia daqui antes que eu ligue para a polícia.

Eu estava chocada por ela ainda parecer a mesma, mas, afinal de contas, só se passara um mês desde que nos víramos pela última vez. Ela estava magra, triste e branca como papel. O fato de ela não me reconhecer de imediato era um pequeno triunfo; o meu rosto era o mesmo, é claro, contudo minha força era nova. Eu não ia mais permitir que ela fizesse eu me odiar. Endireitei os ombros e fiquei mais alta.

— Sou eu. — Minha voz era clara e ecoava pelo lugar. Eu podia me ouvir com clareza e, em comparação, a resposta dela foi fraca. Ótimo, pensei.

— O que você quer? — repetiu ela. — Saia. Saia daqui agora.

— Onde ele está? — Eu não estava mais me escondendo, os dias de me esconder nas sombras eram passado, e eu queria que ela soubesse disso.

— Não está aqui. Se estivesse ele a mataria. Agora saia.

Eu caminhava na direção dela e ainda sem medo.

— Para que você veio aqui? — perguntou, com aspereza. — Deixe-me em paz. Você rompeu seus laços com este lugar, saia e me deixe em paz.

— Não. Por que eu deveria? — Hephzi estava trancada ou se escondendo em algum lugar na casa paroquial, eu tinha certeza. Passei por ela e comecei a subir as escadas, meus pés encontrando naturalmente os lugares que não faziam barulho. Craig pisava com força atrás de mim, sem medo dos problemas que os rangidos e os gemidos da casa poderiam revelar. A Mãe nos seguia, sombria e resmungando. A porta de nosso quarto estava fechada e puxei a maçaneta; eu estava convencida de que Hephzi estaria lá dentro. Se ela não estava na casa de Craig então ela tinha de estar ali.

Entretanto, não havia nada. Paredes brancas desbotadas olhavam silenciosamente para mim, vazias e misteriosas na penumbra. Craig apertou o interruptor e o bulbo nu da lâmpada retornou à vida apenas revelando mais do mesmo. Deixaram o quarto como se nunca tivéssemos vivido nele. Freneticamente, eu procurava por sinais de Hephzi e do bebê dela nas paredes, mas nenhum inchaço ou protuberância revelou o esconderijo deles. E onde estava a minha criança, aquela que nunca segurei ou conheci, aquela que a Mãe enterrara em algum lugar numa noite escura? Eu a vira pegar uma pá e remexer a terra, e, em seguida, jogar o pacote em uma cova rasa, cobrindo seu rastro como um gato escondendo as fezes. Ela não enterrara as provas fundo o bastante, e meu bebê voltou para me assombrar, sussurrando pelas paredes. Eu parei e olhei pela janela, como se a árvore pudesse me contar seus segredos. Os galhos balançavam vagarosamente e moviam seus braços verdes, batendo na janela com seus dedos vazios. Eu entendi.

Era claro que não estavam ali. Óbvio. Eu crescera além daquele quarto, crescera livre, mais livre e viva do que jamais imaginara possível. Aquele quarto não segurava mais minha irmã e nossos filhos, seus fantasmas haviam voado. Agora que sabia que eles estavam seguros eu vi que o pesadelo poderia terminar.

Craig veio atrás de mim e colocou uma mão sobre meu braço.

— Venha, vamos. Ele não está aqui. Eu vou voltar.

— Espere um segundo! — falei e me coloquei de joelhos, puxando uma das tábuas no canto do quarto. Eu não iria embora sem as coisas dela.

O alívio roubou meu ar quando meus dedos se fecharam em volta da corrente da Hephzi e rapidamente a tomei em minha mão. Então, levantei-me e olhei para a Mãe.

— Antes de ir embora, quero saber. Por que você nos odiava? Por que você me odiava?

Sua boca se contorceu.

— Vocês são sombrias. Criaturas sombrias. Ninguém queria vocês, nenhuma das duas, mas vocês vieram assim mesmo. Tive de pagar por vocês todos os dias da minha vida.

Sua resposta não me dizia nada, ela era louca, pensei, completamente louca.

— Nós éramos garotinhas. Não éramos más, perversas ou equívocos! — gritei para ela. — Você deixou Hephzi morrer!

Ela gritou e em seguida veio em minha direção com os dedos em garra, repleta de ódio. Craig a afastou, jogando-a no chão e me arrastou para fora do quarto. Ao fazê-lo, o mundo de meu passado, nosso palácio, nossa prisão, esfarelou-se num espaço frio e branco.

— Você é doente! — disparou ele para minha mãe enquanto saíamos. — Estou avisando-a, fique esperta, porque eu ainda não terminei com você.

Ela cuspiu na direção dele e descemos as escadas rapidamente, precisando fugir, precisando de ar fresco.

— Se fosse seu pai, eu o teria matado!

— Não. Não, Craig. Isso não mudaria nada.

— Como você pode ser tão calma?

— Porque essa era minha vida. Tive bastante tempo para me acostumar com ela. É tudo o que sempre existiu para mim.

— Por que ninguém os impediu? Como eles puderam arruinar a vida de vocês dessa maneira? Eu não entendo!

A angústia que ele sentia em meu lugar era mais uma prova de que ele era um cara bom. Timidamente toquei sua manga.

— Agora não importa mais, Craig. Por favor, esqueça. Tudo bem?

— Eu não posso!

Eu o deixei nutrir sua raiva e sua ânsia por vingança.

A única coisa que me importava agora era a perda da minha irmã. Eu estivera tão certa de que ela estaria ali, tão certa de que ela explodiria de alegria ao nos ver juntos, indo, finalmente, resgatá-la. Eu estava contente por sua liberdade, mas ainda queria encontrá-la, pelo menos algum vestígio dela, e despedir-me melhor . Eu tinha de dizer-lhe quanto sentia por não tê-la salvado, devia-lhe isso. Não conseguira dizer-lhe isso em seu funeral, oito meses antes, e eu não tivera a coragem de dizer-lhe o tempo todo que ela estivera comigo, ajudando-me e dizendo-me para tomar as rédeas de minha vida antes que o Pai acabasse com ela. Naturalmente, eu não podia contar a Craig o que estava acontecendo, ele me internaria no manicômio junto com minha mãe louca, mas eu sabia que meu pedido de desculpas a Hephzi estava atrasado.

Voltar para a casa de Craig parecia a única opção plausível agora que a noite caíra, mas pedi que ele esperasse mais um pouco por mim. Não longe dali, na Casa de Repouso, todos já estariam na cama, mas sabia que Danny estava trabalhando até tarde. Michaela me deixou entrar, sorrindo, abraçando-me e acariciando minhas bochechas, dizendo quão bom era me rever, quão alegre, quão feliz. Perguntei por Danny e ela apontou a cozinha. Ele se virou ao me ouvir chamar seu nome.

— Aqui está você! Você apareceu. Cheryl andou muito preocupada.

— Sinto muito. Eu vim lhe dizer que eu estou bem.

— Tudo bem, querida. Estou feliz por ver você, mas você nos deixou preocupados. Cheryl estava prestes a ligar para a polícia.

— Ela não ligou, ligou?

— Não. Eu a acalmei. Disse a ela que você não iria longe, não sem dinheiro ou algum lugar para ficar. Então, o que andou fazendo?

— Eu voltei para lá. — Meneei a cabeça na direção da casa paroquial.

— Você fez o quê? — Seu rosto embranqueceu. Eu sabia que trabalhar tão perto era uma tortura para ele, pois todo dia Danny tinha de se conter para não ir até lá e dar ao pastor um pouco do próprio remédio, isso foi o que Archie me dissera. É claro que os Pais, em vez de fazerem a coisa certa e seguir em frente, ficaram firmes, alimentando rumores, dizendo às pessoas que eu era louca e que Danny era um tipo de pedófilo que me mantinha sob seu encanto demoníaco. A maioria ignorava as mentiras, de acordo com Archie, mas eu ainda me sentia mal por Danny e pela confusão que trouxera à vida dele.

— Está tudo bem. Eu tinha de pegar algumas coisas. Só isso. Ele não estava.

— Graças a Deus. Caramba, Rebecca, você não é uma pessoa que quer levar uma vida pacata, não é mesmo? Agora, por que você não espera um pouco na sala? Eu vou terminar daqui a meia hora, eu posso lhe dar uma carona.

— Não, obrigada, Danny. Está tudo bem. Obrigada de qualquer modo.

— Como assim?

— Vou passar a noite na casa de um amigo e, amanhã, bem, quem sabe. Talvez eu vá visitar minha tia.

— Certo. — Seu sorriso alegre se desmanchou num rosto franzido e preocupado. — Você tem certeza de que vai ficar bem?

— Sim. Obrigada por tudo que fez por mim. Você foi o melhor pai que eu poderia ter.

— Pare com isso. — Suas bochechas coraram até ficarem rosa e ele sorriu tristemente para mim. — Ainda estaremos por aqui se você precisar de nós, quero que você venha sempre que precisar de algo, de qualquer coisa, certo? Promete?

Eu prometi e ele me apertou num de seus abraços de urso, o melhor abraço do mundo. Em seguida, ele colocou 20 libras na minha mão. Tentei devolver o dinheiro, mas ele não quis nem saber.

— Você vai precisar de um pouco de dinheiro, querida, até que você se resolva, e isso não é muito. E me avise se precisar de mais, que eu ajudo você. Archie e as crianças vão sentir sua falta, sabia?

Sua gentileza era infinita e olhei para baixo, tentando não deixar minhas lágrimas caírem. Eu era forte agora, ele me ajudara a ser forte, e eu queria que ele sentisse orgulho. Antes de ir embora, entrei no quarto de Cyrilla; ela não estava totalmente adormecida. Dei-lhe um beijo na bochecha macia e sussurrei-lhe adeus. Acho que ela sorriu e quase levantou uma mão para se despedir.

Ao poucos eu estava ajeitando as coisas. Ao poucos estava me preparando. Eu realmente estava partindo. Estava saindo das trevas e procurando uma vida. Aquela que esperou por mim todo esse tempo.

Na manhã seguinte, Craig dormiu até tarde, mas eu acordei com o sol. Eu sabia para onde iria agora. A caminhada não era longa e ainda não estava muito quente. Meu couro cabeludo, braços e rosto ainda ardiam por causa do sol do dia anterior, mas a dor e o latejamento apenas me lembravam de que eu ainda estava viva. Craig me dera um pouco de creme, o que acalmou a minha pele enquanto dormia. Eu me sentia quase bem.

Antes de partir para sempre, ainda havia coisas que eu queria fazer. O vilarejo ficara muito pequeno para mim, as memórias muito grandes, e eu queria algo diferente agora. Eu poderia encontrar um médico ou voltar para a escola e estudar algo que me interessasse. Os planos de Craig inspiraram os meus; se ele podia ir para a universidade, eu também poderia. Craig não olhava para mim como se eu fosse um monstro, nem Archie; eu me perguntei se talvez, um dia, eu encontraria alguém que me amasse apesar de meu rosto. A vida pode recomeçar se você tiver sorte o suficiente, e eu decidi ter sorte. Mas, antes que qualquer futuro acontecesse, eu tinha de fazer um último esforço e encontrar Hephzi.

Uma lápide simples marcava o túmulo de Hephzibah, e a grama crescera selvagemente na terra fresca. Li seu nome, nosso aniversário e o dia de sua morte. Não havia nenhuma palavra especial. Eu abri o fecho de sua corrente de prata e a tirei do pescoço, agachei-me sobre a grama fresca. As folhas mortas e molhadas tocavam meus tornozelos fazendo cócegas à medida que eu cavava um buraco na terra úmida com os dedos; uma leve chuva de verão caíra durante à noite, e o ar cheirava como se alguém o tivesse limpado. Com terra debaixo das unhas, levei seu colar até meus lábios, beijei-o e sussurrei um recado antes de enterrá-lo o mais fundo possível.

— Hephz, você está aí? — sussurrei para dentro da terra.

Não houve resposta. Deitei-me no chão ao seu lado e chamei novamente.

— Hephzibah, é Rebecca. Estou aqui para me despedir. Por favor, fale comigo, você não ficará brava comigo porque estou partindo, ficará?

Ela ainda estava quieta.

— Eu vim lhe dizer que sinto muito. Eu sei que deveria ter salvado você. Se eu tivesse sido mais corajosa. Se eu tivesse chamado uma ambulância antes. Desculpe. Eu a amo, Hephz.

Os pássaros faziam barulho e cantavam nas árvores, o vento levantava gentilmente meus cabelos. Esperei mais um tempo até sentir cada uma de minhas células vivas. Hephzi estava ali. É claro que ela estava. Ela estivera o tempo todo. No vento em minha pele e no sol sobre meu rosto, no brilho das estrelas que vi em minha cama no hospital, na escuridão de minha sombra e na força de meus passos ao fugir da casa paroquial para a liberdade. Ao me deitar ao sol ao lado dela, senti as asas de sua beleza me levantarem e, enquanto as senti baterem com esperança, eu soube que podia continuar. Hephzibah estava em outro lugar, mas também em mim.

Craig já estava acordado quando voltei para sua casa e tomamos café da manhã juntos mais uma vez. Ele estava quieto, e eu sabia que estava meditando sobre tudo que eu contara. Eu sentia muito por ele ter tido de ouvir essas coisas horríveis sobre a vida de Hephzi, e disse isso a ele.

— Tudo bem. Eu queria saber. — Ele me olhou e pude ver o fogo em seus olhos, dando-me conta de que ele ainda queria se vingar. Porém, eu já vira sangue suficiente pelo resto da minha vida e de jeito nenhum ia derramar mais. Entretanto, Craig estava certo de alguma maneira; ainda haviam coisas a serem feitas.

Pensei em Tia Melissa. Ela prometera que me ajudaria. Eu não precisava que ela me salvasse agora, mas queria sua história. Perguntei a Craig se eu poderia usar o telefone e engoli meu orgulho e minha amargura.

Ela ficou surpresa ao ouvir minha voz, isso era óbvio, e, por um instante, me perguntei se seu interesse repentino por mim fora uma farsa.

— Você está bem, Rebecca?

— Sim, obrigada.

— Como posso ajudar você? Você ainda está morando com seus amigos?

— Não, eu saí de lá.

— Ah.

— Está tudo bem, mas a casa deles era muito pequena e eu já estava fazia uns meses.

— Entendo. Onde você está agora?

— Na casa do namorado da Hephzi. Mas não posso ficar muito.

Nenhuma de nós duas falou por um momento e tentei imaginar o que ela estava fazendo. Será que estava fazendo caretas de pânico para o Tio Simon ou franzindo o cenho de preocupação? Ela me queria ou não?

— Posso visitar você? Ver se posso ajudar? — ofereceu ela finalmente.

— Sim, se quiser.

— Certo, me dê o endereço, mas só poderei ir amanhã. Tudo bem?

— Sim. Eu posso ficar mais uma noite aqui.

Ao desligar o telefone, pensei em Vovó. Eu poderia ter corrido diretamente para ela, ela teria me acolhido sem pensar duas vezes. Eu poderia ter cuidado dela em sua velhice, poderia ter frequentado a escola durante o dia ou ter estudado em casa e ter me sentado com ela à noite fazendo palavras cruzadas ou assistindo a TV. Não era justo.

— Então ela está vindo? — perguntou Craig, e eu assenti e saí do quarto.

Naturalmente, não pude dormir naquela noite. Não eram mais os pesadelos que me mantinham acordada, em vez disso, pensava em Tia Melissa. Eu sabia o que eu queria, e essa era a resposta. Mas eu também precisava de uma casa e de uma vida, e ela não poderia me dar nenhuma das duas coisas.

Assisti a TV a manhã toda, ainda viva, ainda esperando.

Às dez horas, a campainha tocou. Os dois estavam ali, Melissa e Simon. Craig ainda não acordara e eu abri a porta já vestindo minha jaqueta. O sol não estava tão quente naquele dia, nuvens cinzentas estavam se aglutinando ao longe, um exército estabelecendo suas linhas defensivas. O ar estava pesado e úmido. Cheirava a chuva.

Caminhamos até o carro. Simon dirigiu, Melissa se virou em seu banco e me olhava. Seu sorriso podia partir-se tão facilmente quanto um coração.

— Você está bem?

Eu assenti.

— Para onde devemos ir?

— Para longe daqui.

Simon balançou a cabeça afirmativamente e dirigiu para fora do vilarejo, no sentido oposto à casa paroquial. Ao chegarmos à cidade, ele estacionou e nós todos saímos. Não tinha ideia de onde estávamos e os deixei me guiarem para fora do estacionamento e para dentro de um café. Aquele não era um bom lugar, deveríamos ter ficado na casa de Craig. Simon foi ao balcão e pediu bebidas e o café da manhã. Melissa e eu nos sentamos uma de frente para a outra.

— Obrigada por virem — consegui dizer finalmente, porque sabia que ela queria chorar.

— Sinto muito por ter demorado tanto.

Esbocei um pequeno sorriso.

— Mas estou aqui agora. Nós estamos aqui. Vamos ajudá-la como pudermos.

— OK.

— Do que você precisa?

— Você tem de me contar tudo.

— O que você quer dizer?

— Ao telefone, você disse coisas. Você disse que ela nunca deveria ter se casado com ele. O que você quis dizer?

Melissa não esperava por isso. Ela olhou para baixo, então olhou para Simon no balcão e, em seguida, para suas mãos, e ficou girando a aliança em seu dedo.

— Ah, isso é coisa antiga, não importa mais.

— Apenas me diga — insisti.

— Eu não quero magoá-la, Rebecca.

— Você não vai. Eu aguento o que for. — Entendi que Tia Melissa ainda não fazia ideia de como fora minha vida até então. Se ela pensava que suas palavras me machucariam, estava enganada.

— Tudo bem, se é isso que você quer.

— Sim, é o que quero.

Então veio a história de Roderick Kinsman e Maria Detherby. Minha mãe tinha 18 anos quando se envolveu com o grupo da igreja. Melissa se recordava de Roderick indo à sua casa buscar sua irmã antes das atividades e a acompanhando de volta para casa. Apesar de ser bonito, ele era rígido, ela contou. Rígido e não sorria, usava sempre um casaco longo, camisa e gravata.

— E aqueles olhos... — murmurou ela —, quando ele me olhava, os cabelos de minha nuca se arrepiavam. Eu sempre achei que havia algo de aterrorizante naqueles olhos.

Eu sabia do que ela estava falando.

Melissa me disse que Roderick se recusava a entrar para um chá ou chocolate quente e se esquivava dos convites para os almoços de domingo. Era óbvio que ele desaprovava tanto Vovó quanto Tia Melissa. Melissa usava maquiagem e gostava dos Stone Roses; Maria usava um crucifixo e escondia os CDs de sua irmã.

— Por que ela era assim?

— Eu não sei. Pode ser porque nosso pai, seu avô, havia morrido. Ela sempre fora sua favorita, ele a adorava. Quando ele teve um derrame isso afetou a todas nós, mas Maria não reagiu bem. Ela se tornou obcecada pela religião e pelos encontros na igreja. Eu não teria me importado se não tivesse sido tão claro que eles estavam sendo enganados. Ela pegava o dinheiro da mamãe para doá-lo àquele cara, o pastor deles. Eles tinham ideias esquisitas, jejuando por vários dias seguidos, e aquele lance todo com as mãos. Ela achava que podia falar em outras línguas. Imagina! Ela não queria mais ver seus amigos antigos ou fazer as atividades a que estava acostumada. Tentamos que ela fizesse outras coisas, mas Maria simplesmente não se interessava.

— O que aconteceu depois?

— Bom. Sua mãe sempre teve uma atitude um pouco impetuosa. Talvez um pouco como Hephzi.

Ela sorriu, mas eu não retribuí. A Mãe e Hephzi não tinham nada a ver uma com a outra. Tive de me conter para não lhe perguntar o que diabos ela pensava que sabia sobre minha irmã para fazer comentários como aquele, mas Melissa percebeu seu erro.

— Desculpe, não, eu não quis dizer isso. Bem, sua mãe era obstinada e teimosa. Quando Roderick lhe fez a proposta de casamento, ela prontamente aceitou; apesar de sua avó aconselhá-la a ir antes para a universidade e encontrar uma boa carreira, ela não a ouviu. Roderick ainda estudava também, estava apenas no terceiro ano da faculdade.

Ela se inclinou na minha direção, como se estivesse prestes a contar-me algo importante.

— Sua mãe não é estúpida, Rebecca, ela era inteligente e ia bem na escola, poderia ter se virado bem sem ele.

— Então você não pôde impedi-la?

— Não. Mas fomos ao casamento apesar de na véspera ela e sua avó terem tido uma briga feia. Minha mãe a advertiu sobre Roderick, ela pressentia algo ruim em relação a ele.

— Ele odiava a Vovó.

— Eu sei.

— É culpa dele que ela tenha morrido. — Eu não pude me conter e acabei dizendo, apesar de saber que Melissa não entenderia.

— O que você quer dizer com isso? Minha mãe caiu nas escadas, ela teve um enfarto e ninguém a encontrou a tempo para ajudá-la. Ela nunca usava aquele dispositivo de emergência, aquela velha teimosa, você sabe disso.

— Se não fosse por ele, ela ainda estaria viva, sei disso.

— Talvez. Mas isso já não importa, é passado.

Melissa não entendia nada. Ela era estúpida e sem graça, pensei, e me arrependi de ter iniciado aquela conversa; no ritmo em que ela contava a história levaria horas até eu descobrir qualquer coisa relevante. Sentindo minha frustração, ela recomeçou. Simon juntou-se a nós com as bebidas. Molhei os lábios no chá e ouvi.

— Após se casarem, ela descobriu que estava grávida. Ela voltou correndo para nós, chorando e se lamentando. Naturalmente, não tinham se deitado antes do casamento. Deus proibira que a esposa de Roderick não fosse virgem. Entretanto, como eu disse, Maria era um pouco levada. Ela fez o que quis apesar da religião, ou talvez por causa dela, e então ela nos disse que Roderick não era o pai, ele não poderia ser porque ela já estava no terceiro mês. Ela era tão magra que quase não dava para perceber, mas ela sabia que logo ela teria de contar a ele.

Mais bebês secretos, pensei, mas dessa vez eram Hephzi e eu.

Se Melissa esperava que sua história chocasse ou machucasse, ela se enganou novamente. Eu estava apenas curiosa.

— Então quem é meu pai?

— O seu pai era o pastor de Roderick e Maria, o líder daquele estranho grupo da igreja com o qual os dois se envolveram. Roderick surtou quando se deu conta de que Maria o traíra. Ele ainda estava estudando, e eles eram paupérrimos e viviam no seu quarto de estudante. Ele não aceitava nenhum tostão de sua avó, mesmo quando descobriu que Maria estava grávida. Sua avó estava desesperada para ajudar, ela se preocupava o tempo todo com o que aconteceria com eles. Ele estava estudando para ser da igreja, bem, logicamente, você sabe disso e, para começar, eu não tenho ideia de por que ele se misturou com aquele povo esquisito. Eu não tenho nada contra a igreja. Afinal, Simon e eu nos casamos numa!

Eu olhei para ela. Ela disse isso como se eu devesse me lembrar. Dei de ombros.

— Nós convidamos vocês. Vocês duas eram pequenininhas, então pedi que fossem damas de honra. Pensei que seria simpático.

Hephzi teria adorado isso. Imaginei-a num vestido de cetim cor-de-rosa segurando uma cesta de flores.

— Por que ele não a abandonou? Nos abandonou? Teria sido melhor para todos. — Eu estava frustrada pensando em outra vida, uma certamente menos sofrida com a ausência de Roderick Kinsman. Joguei logo a ideia fora. *Caia na real*, disse para mim mesma.

— Você está provavelmente certa, mas esse não seria Roderick, seria? Ele gosta do papel de mártir, e o pastor veio com tudo para cima dele, acho, ele falou sobre o escândalo que seria e a desgraça que cairia sobre todos os envolvidos. Ele deve ter ameaçado Roderick dizendo que arruinaria sua carreira na igreja. Além disso, seu pai biológico já era casado, e isso destruiria a carreira dele também. Roderick entendeu isso. Ele estava terrivelmente bravo, mas sua mãe achou que ele superaria com o tempo.

Então era isso, é claro. As aparências tinham de ser mantidas a todo custo, as máscaras nunca poderiam cair. E o Pai amava ter a oportunidade de punir a Mãe pelo resto de seus dias, assim como a nós. Toda a minha vida eu paguei com meu corpo e minha alma pelo pequeno e sórdido caso que a Mãe tivera.

— Mas então vocês nasceram... — Melissa não terminou a frase, mas ouvi o que ela não ousava dizer. Quando eu nasci ele não suportou; criar o filho de outro já era ruim, mas um como eu, bem, isso era um insulto supremo.

— Então essa é a história. Isso é tudo?

— Sim, é tudo.

Não era tudo. Ela não explicara por que nos deixou com eles quando poderia ter tentado ajudar. Vovó tentara, mas onde estava Tia Melissa? Simon se remexeu estranhamente em sua cadeira. O silêncio segurava suas perguntas. Eu olhei para cada um dos dois.

— Você se importava? Você não se preocupava por estarmos com eles? Você não via o que acontecia conosco?

Minha voz era baixa e cheia de tristeza. Melissa empurrou sua cadeira para trás, que rangeu sobre o chão do café, e ela correu para o banheiro, escondendo o rosto.

Encarei o olhar de Simon.

— Ela se importa, Rebecca. Mesmo. Especialmente porque não temos filhos. Eu lhe disse que haveria apenas uma pequena chance de termos um bebê com... Você sabe...

Ele balançou a cabeça em minha direção para ilustrar o que queria dizer, e então tirou os olhos de mim, virou-se e olhou para o banheiro onde estava a Melissa.

— De todo modo, eu lhe disse que poderíamos fazer o teste, hoje em dia é possível fazer o teste genético, e que eu pagaria, sem problemas, se isso a reconfortasse, mas ela não queria falar a respeito. Porque sabíamos de você e ela decidiu que era melhor não arriscar.

Minha cabeça latejava com essa nova informação. Eu me perguntava se ele se dava conta de que, calmamente, estava me dizendo que teria sido melhor para todo mundo se eu não tivesse nascido. Um simples teste poderia ter me descartado muito tempo atrás e pouparia as pessoas de mais um problema.

— Nós queremos adotar — continuou ele, ignorante —, mas temos de esperar. Isso está desgastando a Mel, ela está muito frágil no momento.

Estava na hora de partir. Eu me levantei, saí do café e caminhei pela cidade. A chuva ainda ameaçava cair e meus braços estavam arrepiados. As pessoas corriam pela praça do mercado, não se demorando nas bancas. Olhei à minha volta, sentindo-me perdida e me perguntando onde era o ponto de ônibus. Melissa e Simon não tardaram a me reencontrar.

— O que você vai fazer agora? — perguntou Simon.

— Eu não sei. Preciso encontrar um lugar para morar.

— Você pode voltar conosco, se quiser — ofereceu Melissa apressadamente, e eu me lembrei do Pai apresentando seu punho como um favor. Eu não precisava de tal ajuda.

— Não, obrigada. Vou ficar por aqui em algum lugar, mas não voltarei para o meu bairro. — Minha voz era um sopro frio no ar úmido e pesado, e ela lançou um olhar preocupado ao marido.

— Você tem algum dinheiro?

Eu balancei a cabeça. Melissa segurou meu braço e se aproximou de mim.

— Escute, quando sua avó morreu, ela deixou todos os bens para mim. Ela não confiava em Roderick, mas sei que ela teria gostado que eu cuidasse de você com esse dinheiro.

Olhei para Melissa. Seus olhos tinham o mesmo tom castanho de Hephzi.

— Você aceitaria? Aceitaria esse dinheiro?

Ela sacou tudo que podia naquela tarde e me prometeu mais assim que eu tivesse uma conta bancária. Eles me deixaram na casa de Craig, a borracha do limpador de para-brisa gritava num ritmo de dor. Simon tossiu e ligou o rádio. Não houve beijo de despedida e olhei o carro afastar-se, parecia menor do que antes. Dei a volta na casa, com os bolsos cheios de dinheiro.

— Tudo bem?

— Sim, obrigada.

— O que eles disseram?

— Ele não é meu pai. — Isso era o essencial, o resto foram apenas detalhes.

— Ah!

— Fiquei contente — ressaltei o óbvio, apenas para ouvir as palavras em voz alta.

— Sim.

— E ela me deu dinheiro. Era da minha avó, não é caridade. — Eu já recebera caridade o suficiente, e só queria mais uma coisa de Melissa, mas isso poderia esperar um pouco mais.

— Bom.

— Você me ajuda a encontrar um apartamento?

— Claro.

Porém, antes de fazer isso, eu tinha uma última questão a resolver. Eu deixara o pior para o final. Eu decidi contar a Craig, caso eu não voltasse.

— Eu vou voltar lá mais uma vez. Amanhã. Irei no horário dos serviços matinais.

Ele me olhou e disse:

— Você não pode fazer isso, não sozinha.

— Por que não? Você não pode me impedir, Craig, eu não tenho medo dele.

— Bem, eu vou com você.

— Saiba que não estou indo fazer justiça com as próprias mãos — adverti-o.

— Eu sei, mas ainda assim eu vou.

Eu me senti calma ao caminhar em direção à igreja, na manhã seguinte, mais do que antes. Dessa vez, eu sabia que partiria quando quisesse e ninguém me impediria de exercer minha vontade. As ruas estavam repletas de paz dominical, e os dedos do medo que antes me agarravam por dentro a cada passo que eu dava entre a escola e minha casa não existiam mais. Eu vi Danny e Cheryl do lado de fora da igreja, esperando por nós. Craig insistira que eles também fossem. "Reforços", ele disse. E mesmo eu tendo dito que não era necessário, deixara que Craig ligasse para eles.

Danny me deu um grande abraço, assim como Cheryl, e ficamos do lado de fora segurando um ao outro. Em seguida, afastei-me e puxei a pesada porta da igreja.

O serviço já começara. Eu podia ouvir a voz dele entoando as rezas e caminhei firmemente em sua direção, meus pés silenciosos sobre o chão de pedra. Algumas almas estavam recolhidas sobre os bancos da igreja e fiquei impressionada com o pequeno número delas; sua congregação diminuíra ainda mais. Ela se esvaziara gradualmente ao longo dos anos e as tentativas dele de recrutar novos fiéis tinham perdido a eficiência havia tempos. Porém, sempre houvera mais que isso. Alguma coisa deve ter acontecido. Identifiquei as costas recurvadas da minha mãe e sua cabeça inclinada; ela estava sentada em sua posição habitual no primeiro banco. A Sra. Sparks estava sentada do lado oposto com o marido, e eu fiquei de pé por um momento no corredor decidindo onde me sentaria. Os outros estavam atrás de mim, seguindo meus passos. Quando me movi para a frente, o homem no altar percebeu minha presença e, ao cruzarmos nossos olhares, a reza morreu em seus lábios. Seus olhos eram do mesmo azul penetrante que sempre foram. Encarei-o firmemente e caminhei para a frente, sentando-me logo atrás de minha mãe, onde eu podia vê-lo. Eu sabia que as pessoas estavam me olhando indiscretamente, mas não me importava; seus olhares caíam sobre mim como gotas de chuva escorrendo das folhas. Danny, Cheryl e Craig sentaram-se atrás de mim, e senti a mão de Danny repousar brevemente sobre meu ombro.

Aquela seria a última vez que eu veria o homem que se mascarara de pai, e eu soltei um longo suspiro e virei o rosto na direção dele.

Ele esperava que eu me curvasse e me escondesse, ele ansiava por essa reação, e ouvi seu rosnado desenrolar-se e seus lábios se mexerem. Ao receber nada mais que meu olhar em troca, um olhar que não pedia nada a não ser meu direito de existir, sua voz voltou a falhar, e minha mãe virou a cabeça para saber por quê. Deixei-a olhar-me, mas ela se virou rapidamente. Tão rápido quanto o livro que caíra da mão dele e que ele se agachara para recuperar. Ele se levantou novamente, folheou as páginas para tentar reencontrar o ponto, tossiu e olhou para a frente. Mas seus olhos se voltavam para mim. Eu o olhei tentando sorrir.

— Desculpem-me — continuou ele —, vamos rezar. — Suas palavras nunca tinham sido tão falsas.

Algumas pessoas se levantaram e se juntaram à reza. Elas ouviram o trecho da Bíblia que ele leu apressadamente. Senti pena das velhinhas e dos poucos devotos remanescentes de seu rebanho que se juntaram com seu amém. E esperaram pelo sermão.

Que palavras ele preparara, ninguém nunca soube.

Ele ficou lá parado, congelado, em silêncio, a boca paralisada à medida que todos olhavam para ele, e eu ouvi os cochichos começarem.

Em seguida, levantei-me e me afastei, tão lentamente quanto entrara.

Na segunda-feira, com ajuda de Craig, encontrei um lugar longe o bastante para sentir-me segura. Era pequeno e limpo. Eu poderia convidar Cheryl e Danny. Tia Melissa me mandou o restante do dinheiro e Craig me ajudou com a mudança. Pam me deu coisas de que ela não precisava mais e planejei pegar o restante quando pudesse. Eu não necessitava de muito.

Meu último pedido para Tia Melissa era que ela me enviasse o álbum de fotos de Vovó. Ele chegou envolto num papel delicado com um recado gentil, repetindo mais uma vez quanto Melissa lamentava e me convidando para passar o Natal ou qualquer ocasião com eles. Removi a embalagem e guardei o recado. Craig e eu olhamos para o álbum juntos.

— Vamos, dê uma olhada — disse ele.

Eu virei as páginas; elas eram tão finas e fáceis de virar como eu me lembrava. Um novo passado floresceu à minha frente, e examinei as velhas fotos de Tia Melissa e da Mãe, lindos bebezinhos, vestidos de rosa, gordinhos e fofos. Vovó parecia tão jovem, com um permanente no cabelo e muito batom rosa, rindo para quem quer que estivesse tirando a foto dela e das filhas sentadas em seus joelhos. Havia mais fotos da Mãe e de Melissa; suponho que elas tinham entre 12 e 13 anos, estavam numa praia, com os braços entrelaçados e trajando roupa de banho, em outra estavam sentadas eretas e orgulhosas no lombo de um cavalo, ou posando com ar sério num uniforme escolar ao lado de minha avó e de meu avô, o qual nunca conheci. Maria era bonita, de uma forma discreta e elegante, e tinha um sorriso adorável. Eu não pude reconhecer naquela menina a mãe que nunca foi capaz de me amar. Olhei para as outras fotos, algumas dos Pais, rígidos em trajes de casamento, algumas de Melissa em sua formatura e outras que eu rasgara quando criança. Vovó deve ter feito cópias. Fechei o álbum de uma só vez. Eu olharia para elas mais tarde, quando estivesse sozinha.

Ao acompanhar Craig até a porta, ele parou antes de se despedir.

— Tome.

— O que é isso?

— Um presente de boa sorte. Pegue.

Peguei o livro *Noite de reis*, de Shakespeare.

Olhei para ele, intrigada.

— Você vai gostar. Tem um final feliz. E olhe.

Ele abriu o livro e dentro alguma coisa estava solta, um pedaço de papel brilhante. Eu o peguei e olhei-o por um longo e delicioso momento. O rosto de Hephzi sorria para mim na foto, repleta de felicidade e esperança, seus olhos mais vivos do que eu jamais vira.

— Você a quer?

— Eu tenho outras. Posso fazer cópias. Tenho muitas fotos dela. Você pode colocá-la no álbum.

— Ah! — Eu gostaria que ele tivesse mencionado isso antes.

— Eu lhe enviarei mais fotos. Passe-me seu e-mail quando estiver tudo resolvido, OK?

— Tudo bem, obrigada. É linda.

— Eu sei. Ela era.

Nós nos abraçamos por um longo momento, e então ele partiu. Eu fechei a porta vagarosamente e depois passei a corrente. Segurando a foto de Hephzi, eu sabia que não a colocaria no álbum de Vovó, mas encontraria o porta-retratos perfeito para ela, colocando-a num lugar em que eu pudesse vê-la todos os dias. Eu sabia que ficaria tudo bem agora.

Nunca tive a intenção de voltar e suponho que nem precisasse, mesmo após o incêndio. Entretanto, queria certificar-me de que eles realmente tinham partido.

Haviam se passado algumas semanas desde minha pequena jornada à igreja, onde encarei Roderick Kinsman pela última vez. O outono começara, mas o sol brilhava, o ar cheirava a frescor, e a ocasião não podia sombrear o brilho do dia. Haviam se passado nove meses desde o funeral de Hephzibah, e aqui estava eu, mais uma vez.

Poucos estavam enlutados. Alguns membros do clero, a Sra. Sparks, que evitava meus olhos, e curiosos locais, que vinham ciscar como galinha famintas em busca de sementes de uma história que cresceria como erva daninha nas próximas semanas. Tia Melissa e eu ficamos ao fundo. Eu poderia ter tido pena da minha mãe, mas ela não merecia meu pesar, e eu apenas olhava impassivelmente enquanto o novo pastor procurava palavras para dizer sobre ela. Ele encontrou alguns velhos clichês: uma trabalhadora da comunidade, esposa devotada, blá-blá-blá. Pelo menos, ele não sugeriu que ela era uma mãe amada.

Após a missa, as outras pessoas se esvoaçaram feito poeira, e o novo pastor se aproximou de mim. Ele murmurou algum tipo de desculpa que ouvi e assenti; afinal, ele não era culpado. Finalmente, deixaram-me sozinha com minha tia. Talvez naquela ocasião eu não tenha falado o bastante com ela, mas até onde eu sabia eu tinha sido educada. Ela não parecia tão chateada com a morte da irmã, apesar de eu ter notado que ela enxugara discretamente os olhos durante o serviço. Manter as aparências parece realmente ser primordial em minha família.

Algumas pessoas escolheram acreditar que o incêndio fora acidental, um curto-circuito ou algo do tipo. É engraçado como a verdade pode ser tão evasiva quanto o horizonte, afastando-se à medida que a gente se aproxima dela. Nem mesmo a prisão do pastor foi o suficiente para alterar a realidade dessas pessoas.

No entanto, eu estava contente por Roderick ter sobrevivido ao seu próprio fogo. Era estranho que as chamas não o tivessem consumido, como ele desejava, permitindo-lhe escapar. Estava feliz de saber que ele definhava na prisão enquanto esperava seu julgamento, mesmo que isso significasse revelar as feridas que ele abrasara nas profundezas de meu coração, feridas que finalmente começavam a cicatrizar.

— Rebecca, você vai falar, certo? — perguntou-me a policial quando veio me dar a notícia, e eu concordei, assentindo com a cabeça. Aquela história era passado, mas eu aceitava que ela ainda fosse contada enquanto pensava no futuro. Hephzi desejaria que eu falasse por ela, e sempre fui corajosa o bastante por nós duas.

Não deixei que enterrassem os restos da Mãe ao lado de Hephzi. Em vez disso, incineramos o que sobrara dela após a conflagração e joguei a urna com suas cinzas na lixeira mais próxima. Depois disso, não havia muito mais a ser feito. Eu caminhei ao longo da estrada e olhei à minha volta, observando o bairro com olhos renovados, sussurrei minhas despedidas à medida que passava pelos lugares: a escola, a loja, a biblioteca que sempre desejei visitar, a farmácia que Hephzi roubara, a casa da Sra. Sparks. Antes de partir, voltei aos escombros do que outrora fora a casa paroquial. Tudo fora consumido pelas chamas, menos a árvore, nossa árvore, que ainda estava de pé. Um pouco escurecida, um pouco machucada, mas ainda orgulhosa e forte. Um sopro de vento acariciou suas folhas, e algumas delas caíram vagarosamente no chão como a expressar sua tristeza pela minha partida. Pensei que ela também me desejava sorte.

Do outro lado da estrada, um homem em sua motocicleta acenou, depois acelerou e desapareceu. Eu o veria novamente. Haveria tempo para isso e para outras coisas também. Agora, eu estava feliz por estar sozinha.

Assim me afastei das ruínas do passado. Vi que o dia brilhava e o sol estava mais forte do que o outono costumava permitir. Ele resplandecia nas pedras das casas e de longe as fazia brilhar como ouro. Negras eram as feridas, mas azul era o céu e, à medida que o futuro abria seus braços, eu seguia em frente e sorria.

Agradecimentos

Muitíssimo obrigada a Amanda Punter, a Mari Evans e a Alex Clarke, da Penguin. Obrigada por sua paixão, conhecimento, sabedoria e discernimento. Obrigada a todo o pessoal brilhante da Penguin e Puffin, que apoiou e auxiliou na publicação deste livro.

A Amanda Preston, da Luigi Bonomi Associates, minha gratidão por amar *Corações Feridos*, por não desistir de mim e por suas brilhantes habilidades de agenciamento.

A minhas superirmãs Emily e Margaret Barry, obrigada por sempre quererem ler o que escrevo e por me fazerem acreditar que outras pessoas possam querer lê-lo também! Obrigada a Gill e Dave por tudo. À minha grande amiga Juliette Tomlinson, cuja opinião e ajuda contam para um grande negócio. E a Sarah Mitchell, que tem sido ávida leitora de cada um de meus rascunhos, e acreditou no livro desde o início. Obrigada.

Ao Gilded Palace of Sin, pelas melodias tenebrosas.

A Rita Gabrielle Wilson. Se alguma vez houve uma mulher que amava as palavras, era você.

Acima de tudo, ao meu querido marido, Alistair. Obrigada por me aturar, por conhecer genética, por ler e acreditar. Obrigada às minhas filhas maravilhosas, que me fazem rir todos os dias.